Pompon
w rodzinie Fisiów

Joanna Olech

Pompon
w rodzinie Fisiów

Pompona (z natury)
rysowała autorka

Wydawnictwo ZNAK
Kraków 2010

Projekt graficzny i okładka
Kuba Sowiński

Fotografia autorki na 4. stronie okładki
Grzegorz Olech

Ilustracje
Joanna Olech

Adiustacja
Małgorzata Biernacka

Korekta
Barbara Gąsiorowska

ISBN 978-83-240-0831-5

Wydawnictwo ZNAK
30-105 Kraków
ul. Kościuszki 37
www.znak.com.pl

Dla
Miziołka, Kaszydła i Małego Potwora,
bez których nie napisałabym ani linijki

Nazywam się Malwina Fiś. Z powodu tego nazwiska bardzo mi w szkole dokuczają. Chociaż ostatnio jakby mniej – do naszej klasy przyszedł nowy (nazywa się Patyk) i teraz z niego się nabijają.

Moja Mama jest gwiazdą filmową, a mój Tata kaskaderem.

No, może niezupełnie... Tak naprawdę to Mama pracuje w przychodni jako re-je-stra-tor-ka (trudne słowo), ale na pewno dałaby sobie radę na planie filmowym – w długim białym futrze i z różą w zębach... Jak ta pani na puszce po kawie „Carramba".

Mój Tata nie jest żadnym kaskaderem, tylko agentem ubezpieczeniowym i szczerze mówiąc, kiepski byłby z niego kaskader, bo nie umie zrobić głupiego mostka, nawet kiedy my z Gniewoszem trzymamy go za nogi.

No właśnie... Gniewosz. Ma jedenaście lat, ale się tak wymądrza, jakby miał co najmniej dwanaście. Zuzia mówi, że wszyscy starsi bracia są podobni, a ona wie, co mówi, bo ma trzech braci i wszyscy są starsi.

Gniewek jest najmniejszy w klasie, co go strasznie złości, więc pije sok z marchwi i podciąga się na drążku, bo myśli, że od tego urośnie. A jeśli ktoś powie na niego „Mały", to zaraz bierze się do bicia. Bardzo jest odważny, zupełnie jak ratlerek pani Wawrzynek, który szczeka na wilczura z warzywniaka.

Mieszkamy w przestronnej białej willi na brzegu Lazurowej Laguny.

Żartowałam! Prawdę mówiąc, mieszkamy w bloku nad warzywniakiem, dzięki czemu nie musimy używać budzika, bo każdego ranka budzi nas samochód dostawczy.

Mamy trzy pokoje – żółty, rudy i niebieski. W żółtym śpią rodzice, w rudym jadamy i oglądamy telewizję, a niebieski jest nasz – w połowie mój, w połowie mojego brata.

Łatwo poznać, która część jest czyja – u mnie jest ładnie, a u Gniewosza zawsze bałagan. Ja mam mnóstwo ślicznych rzeczy, a on – same śmieci. Wszystkie koleżanki mi zazdroszczą, bo mam piękne szklane kulki w słoiku, kolorowe guziki (każdy inny) i koraliki w pudełku wyścielonym watką.

Mam też dziesięć misiów – na każde urodziny dostaję jednego. Najstarszy nazywa się Karol i tego lubię najbardziej. Kiedy Gniewosz chce mi dokuczyć, organizuje porwanie Karola i wtedy ja muszę zapłacić okup, najczęściej z miśków żelków. Zwykle wystarcza osiem, ale ostatnio Gniewek zażądał dwudziestu, to ja wtedy pobiegłam do Mamy na skargę i musiał oddać Karola za darmo i jeszcze za karę wynieść śmieci. Miśki żelki trzymam w swoim tajnym schowanku, którego Gniewek nigdy nie znajdzie, choćby zdechł.

Mam łóżko po ciotecznej babci Wisi z wymalowanym na nim kanarkiem w klatce. I kołdrę ze ścinków, którą mama uszyła, kiedy była na zwolnieniu lekarskim po wycięciu wyrostka. Gniewosz ma łóżko piętrowe i biurko pod nim, zawalone zbiorami, których nie wolno dotykać. Trzyma tam puszkę pełną starych kluczy, nie wiadomo do czego, słoik śrubek z nakrętkami, nawleczone na sznurek kółka zębate z zegarka i zasuszonego konika morskiego w starej mydelniczce.

Najbardziej zazdroszczę mu pudła z żołnierzykami. Bawię się nimi w szkołę, ale tylko wtedy, kiedy Gniewek jeździ z Tatą do ortodonty. Jak mi się kończą żołnierze, to czasami robię jeszcze jedną klasę z miśków żelków i wysyłam ich na wycieczkę szkolną do Krakowa. Wawel robię z pudełka po herbatnikach, a Wieliczka jest pod wanną. Czasami nie mogę się powstrzymać i zjadam jednego albo dwa miśki. I wtedy z wycieczki szkolnej wraca mniej uczniów, niż na nią pojechało. Pompon mówi, że to nic nie szkodzi.

Pompon to nasze zwierzątko domowe. To jest SMC

Haaa! Teraz myślicie sobie, że zmyślam i że tak naprawdę to jest pies albo świnka morska... Nic podobnego! Pompon jest najprawdziwszym smokiem, takim, co zionie ogniem i opieka kiełbaski na patyku swoim gorącym oddechem.

Pompon wylazł któregoś dnia z odpływu umywalki. Był bardzo mały i łysy – miał różową, prześwitującą skórę, przez którą widać było bijące serce i kawałek kiełbaski w przełyku. Wyglądał obrzydliwie. Gniewosz stał akurat w wannie z namydlonymi uszami i jak zobaczył głowę smoka w odpływie umywalki, to zaczął wrzeszczeć, i wtedy ja wpadłam do łazienki. Przykryłam błyskawicznie Pompona kubkiem do mycia zębów, a gdy weszła Mama, to skłamałam, że Gniewkowi mydło wlazło do oka i dlatego tak się drze. Od tej pory Pompon jest naszą wspólną tajemnicą.

Kiedy był całkiem mały, chętnie siedział w rogu skrzyni na pościel i nigdzie się nie oddalał. Myślę, że był takim smokiem niemowlęciem, bardzo wystraszonym podróżą przez kanalizację. Cały dzień spał, pod wieczór budził się i wyłaził ze skrzyni. Łapał jedną albo dwie muchy, połykał je w całości (widać było, jak przesuwają się przełykiem do żołądka, fuuuj!), a potem brzydko bekał, co brzmiało jak „hellou!". Nie odpowiadał na pytania, więc doszliśmy do wniosku, że nie potrafi mówić.

Szybko zrozumiał, że trzeba siedzieć cicho, kiedy Mama albo Tata wchodzą do pokoju, a kiedy pojawia się odkurzacz, to pod żadnym pozorem nie wolno wyściubiać nosa ze skrzyni.

Po miesiącu na łysej skórce pojawiły mu się łuski – z początku miękkie i delikatne jak u ryby, potem zgrubiały i nabrały zielonego koloru. Z łapek, dotychczas różowych jak u kotka, wyrosły pazury. Zauważyliśmy to, dopiero jak Pompon porysował parkiet i z chodnika przed łóżkiem zaczął wysnuwać nitki.

Mniej więcej dwa tygodnie później Pompon zabulgotał, wypuścił bąbel nosem i powiedział: prrrr!. A potem: mrrr... frrr... drrr... grrrrr, na koniec czknął i zamilkł. Czasami, kiedy budziłam się w środku nocy, ze skrzyni na pościel słychać było ciche dźwięki, jakby ktoś szybko zmieniał fale w radiu – piski, szumy, kawałki piosenek, mlaskanie, buczenie...

Wreszcie któregoś dnia, kiedy wróciliśmy ze szkoły, Pompon wypalił jednym tchem: „kołek, stołek, wołek, rosołek!", a potem, bardzo zadowolony: „myszka, kiszka, pliszka, liszka!". Od tej pory Pompon gada jak najęty. Zna nawet cudzoziemskie wyrazy, bo podsłuchał je w telewizji. A kiedy sobie koniec ogona przytrzasnął encyklopedią, to wrzeszczał: „Osekur! Osekur!". To jest podobno po francusku i oznacza: „Na pomoc!".

Raz i drugi byliśmy bliscy wpadki, kiedy rodzice weszli do pokoju zaniepokojeni hałasem, jaki robił smok. W życiu nie nakłamałam tyle co wówczas, kiedy Pompon zrzucił doniczkę z fikusem i zostawił ślady na dywanie. Cud, że mi się nos nie wydłużył jak u Pinokia.

Mama twierdzi, że mamy fioła na punkcie zamykania drzwi od pokoju. Fakt, mamy. W przeciwnym razie Pompon dałby nogę, bo bardzo lubi oglądać telewizję. Na razie wychodzi tylko nocą i buszuje po całym domu. Wykrada korniszony z lodówki i polewa się maminymi perfumami Chanel nr 5, które stoją w sypialni rodziców.

O tych nocnych wycieczkach dowiedzieliśmy się dopiero, kiedy pewnego dnia Mama przy śniadaniu opowiedziała swój sen:
– Wyobraźcie sobie, śnił mi się mały smok, który siedział na dywaniku. Ledwo wystawał ponad krawędź tapczanu. Oczka mu świeciły w ciemności i... nie uwierzycie... psikał się moimi perfumami. Ten sen był tak sugestywny, że czułam wręcz zapach... Popsikał się, beknął, wyszeptał: „hellou!", i zniknął pod łóżkiem...

Wzięliśmy Pompona w krzyżowy ogień pytań i wszysko wyśpiewał. Przyznał się nawet z rozpędu do tego,

w nocy odpala komputer i czatuje na forum dyskusyjnym hodowców gadów. Udziela rad w sprawach diety. Podobno namawiał innych gości na czacie do karmienia gekonów korniszonami.

Mierzymy Pompona przy framudze drzwi. Kiedy się pojawił w odpływie umywalki, miał rozmiar małej myszy, a teraz – pół roku później – jest wielkości świnki morskiej i stale rośnie. Razem z ogonem ma blisko pół metra. Któregoś dnia wszystko się wyda, nie ma siły. Zwłaszcza że na balkonie uschły prawie wszystkie kwiaty w doniczkach, do których Pompon się załatwia, i Mama wszczęła śledztwo. Nie chcę nawet myśleć o tym, co się stanie.

Mamy nowy kłopot. Mama wzięła na przechowanie kota ciotki Michasi. To jest pers, złoty medalista. To znaczy, że wygrał jakiś durny konkurs piękności dla rasowych kotów. Wygląda zupełnie jak czapka z moheru naszej pani dozorczyni – trudno się połapać, gdzie ma przód, a gdzie tył. Nazywa się Sułtan.

Wjechał do naszego domu razem z kuwetą, workiem pachnącego żwirku i srebrną szufelką do usuwania kocich kup. Ma też dwie porcelanowe miseczki na żarcie, z wymalowanymi na dnie myszkami. I koszyk wyściełany różową flanelą, w którym śpi. To znaczy... spałby, gdyby nie Pompon.

Kiedy Mama wpuściła kota do naszego pokoju, Pompon właśnie układał pasjansa w skrzyni na pościel. Pompon lubi pasjansa, więc zrobiliśmy mu malutką talię kart z opakowania po mydle. Tymczasem Sułtan obszedł pokój dokoła, a potem wymknął się na balkon i obwąchał doniczki z uschniętymi badylami. Po chwili kucnął i wysiusiał się w pelargoniach.

A wtedy ze skrzyni na pościel rozległ się straszny rumor – Pompon wyprysnął jak z procy, dwoma susami już był przy kocie, wskoczył mu na plecy i zaczął tarmosić popielate futro, aż kłaki fruwały w powietrzu. Używał przy tym obcych wyrazów, których nie rozumiem, ale dałabym głowę, że nie ma ich w słowniku. Sułtan skakał jak szalony po całym pokoju, ale Pompon nie puszczał i próbował ugryźć kota w ucho. W pewnym momencie ogon Pompona znalazł się w pobliżu łap Sułtana i kocie pazurki zacisnęły się na nim boleśnie. Smok wyskoczył w powietrze i wystrzelił strumieniem ognia, który liznął kocie futro na grzbiecie. Smród spalenizny wypełnił pokój, a kot błyskawicznie wdrapał się na szafę. Ze zjeżoną, dymiącą sierścią prychał na Pompona i fukał.

Od razu było jasne, że ci dwaj nigdy się nie dogadają. Gniewek próbował przemówić Pomponowi do rozumu, a nawet ostrzegł, że dopilnuje, żeby smok przez miesiąc nie dostał swoich ulubionych korniszonów, ale na Pomponie nie zrobiło to żadnego wrażenia. Siedział pod biurkiem i łypał na kota, od czasu do czasu puszczając dym nosem, a w nocy wydrapał na szafie pazurem napis: „Wszystkie koty to głupki!".
Sułtan godzinami wylizywał łysinę na grzbiecie, jakby od tego sierść miała mu szybciej odrosnąć. Przez dwa dni nie schodził z szafy, podczas gdy Pompon bezczelnie spał w jego koszu, a nawet podżerał whiskas z miseczki.

Nie było wyboru – znowu musieliśmy kłamać. Gniewek zaczął się drapać i kichać, a Mama uwierzyła, że to uczulenie na kocią sierść, i czym prędzej przeprowadziła kota do koleżanki z pracy, razem z kuwetą, żwirkiem, szufelką i miseczkami. Sprawa nadpalonego

futra była omawiana bez końca, a ciocia Michasia nigdy nie uwierzyła, że to od świeczki na urodzinowym torcie zajął się grzbiet Sułtana.

Nasz Pompon to niezłe ziółko. Trudno będzie go wychować na porządnego smoka, bo niby skąd mamy wiedzieć, jak się do tego zabrać? Wczoraj przyłapałam go, jak strzelał z balkonu pestkami czereśni w psy uwiązane pod warzywniakiem, a przecież one nic mu nie zawiniły. Trafił nam się smok dresiarz, nie ma co...

Od kiedy Pompon u nas mieszka, skończyły się wizyty. Nie zapraszamy nikogo, bo przed kolegami trudno byłoby ukryć smoka. Zuzia to się nawet z tego powodu obraziła – kiedyś bywałyśmy u siebie codziennie.

Pompon też nam nie ułatwia życia – wczoraj oświadczył, że idzie w świat, bo jego porcja frytek była zbyt mała. Spakował do piórnika zapas zdechłych much, kilka żelków, pocztówkę z Wawelem i już był przy drzwiach. Potem wrócił po swój kocyk, ale ociągał się z odejściem, bo Gniewosz zapytał, co zrobi, jak natknie się na pana Wójcika z rottweilerem (bez kagańca). No i Pompon spękał. Trudno się dziwić, na tego rottweilera nie ma mocnych, wszyscy się go boją.

O mały włos Pompon zostałby zdemaskowany. Wszystko dlatego, że Tata nam czyta przed snem *Baśnie polskie*. Wczoraj dojechał do historii o Smoku Wawelskim i szewczyku Skubie. Pompon siedział cicho w skrzyni na pościel i słuchał. Nie uronił łzy nad losem dziewicy pożartej przez smoka, ale kiedy Tata dojechał do rozdziału, w którym szewczyk faszeruje barana siarką i podrzuca go u wejścia do smoczej jamy, w skrzyni rozległo się chlipanie i siąkanie nosem. Gniewek, chcąc nie chcąc, wziął to na siebie, co mocno zdziwiło Tatę, bo przecież Gniewek jest twardzielem i nie beczał nawet

przy *Dziewczynce z zapałkami*. A kiedy wreszcie smok opił się wody z Wisły i rozpadł się na tysiące kawałków – ze skrzyni rozległ się szloch i Gniewek musiał zagrać rolę życia, żeby zagłuszyć tego smoka beksę. Ledwo wypchnęliśmy Tatę za drzwi, wieko skrzyni się uniosło.

– No co się gapicie, wzruszyłem się – powiedział Pompon i wytrąbił nos w poszewkę od jaśka. – A tego szewczyka to ja jeszcze dopadnę! – dodał.

W naszym domu było dzisiaj piekło. Straż pożarna... karetka na sygnale... koniec świata! A wszystko przez obcas maminego buta.

Codziennie rano wychodzimy do szkoły razem z Tatą. Pół godziny później Mama zamyka drzwi na dwa zamki i biegnie do pracy. Dom pustoszeje i Pompon ma wolną chatę. Dopóki był mały – nie wychylał nosa z naszego pokoju. Ale ostatnio zaczął sobie na wiele pozwalać i szwenda się po całym domu. Dzisiaj, ledwo Mama wyszła, napuścił sobie wody do wanny i zrobił kąpiel z bąbelkami. Higienista jeden!

Tymczasem Mamie uciekł autobus i pobiegła na przystanek tramwajowy. Obcas pantofla uwiązł jej na torowisku i odpadł, kiedy mama próbowała go wyrwać. Kuśtykając, wróciła do domu. Właśnie zmieniała buty, kiedy usłyszała plusk wody w łazience. Staje w progu i co widzi?

Łazienka zaparowana, piana z wanny wylewa się wierzchem, a w pianie leży zielone zwierzę i puszcza bańki nosem.

– Bążur! – powiedział Pompon po francusku i dał nura pod wodę, razem z walkmanem Gniewosza, co go miał na uszach. Mama podobno nie wydała żadnego dźwięku, tylko – BACH! – zatrzasnęła drzwi łazienki, podparła je krzesłem i łaps za telefon – po straż pożarną. Przyjechali w pięć minut, bo Mama powiedziała, że w jej łazience jest groźny drapieżnik, który zbiegł z zoo.

W tym czasie Pompon wdrapał się na pralkę, zamknął drzwi na zasuwkę, wypuścił wodę z wanny i ukrył się w szafce z ręcznikami. Bidulek, strasznie się musiał zdenerwować! Ta zasuwka to był błąd – strażacy wyważyli drzwi, patrzą... podłoga zalana wodą, na dnie wanny leży mokry walkman, żywego ducha... Ale Pompon opił się mydlin i beknął z głębi szafki – „hellou!". No to strażak, dawaaaj, otwierać szafkę i gmerać w ręcznikach... Pompon nie miał wyboru – ugryzł go z całej siły.

Co ja wam będę mówić – zaczęła się jazda! Strażak ryczy, jakby mu rękę odgryźli, jego koledzy psikają Pomponowi po oczach jakąś pianą, Mama piszczy, stojąc na stołku i wymachując mopem, a na korytarzu tłoczą się wścibscy sąsiedzi.

Na wpół oślepiony Pompon wyprysnął z łazienki, przemknął między nogami strażaków, pędem minął rottweilera pana Wójcika i pognał schodami w dół. Strażacy

ruszyli za nim, ale nim sąsiedzi rozstąpili się i zrobili przejście – Pompona już nie było.

Szukali go w krzakach i piwnicach, na szczęście bez skutku. Wezwali karetkę, bo pogryziony strażak domagał się zastrzyku przeciw wściekliźnie. Pani Wawrzynek z parteru dostała spazmów, a kiedy nadjechała policja – sąsiedzi wygadywali niestworzone historie o naszym Pomponie.

Wszystko to wiem od Mamy, bo gdy wróciliśmy ze szkoły, było już po całym zajściu. Weszliśmy na klatkę, kiedy na podeście schodów trwała awantura.

– Krokodyl! – wrzeszczał pan Wójcik. – Mały krokodyl!

– Sam pan jesteś krokodyl – odszczekiwał się mąż dozorczyni. – To był aligator! Czytałem w „Fakcie", że w Nowym Jorku aligatory żyją w kanalizacji!

Pan Wójcik zaśmiał się jak hiena.

– Aligator... dobre sobie... Z taką mordą?!

Straszne przeczucie ścisnęło mi serce i pędem pobiegłam na górę. Gniewek sadził za mną po dwa stopnie. W domu wpadamy do pokoju, zaglądamy do skrzyni na pościel... NIE MA! Mama od razu zgadła, kogo szukamy. Gniewek zaczął beczeć, ja też... No, koniec świata! Zaraz potem nadszedł Tata i przekonaliśmy go, że Pompona trzeba natychmiast znaleźć, zanim zrobi to Sznycel, pies pana Wójcika.

Zabraliśmy latarki, przed blokiem podzieliliśmy się na dwa zespoły i zaczęliśmy przeczesywać okolicę. Na szczęście, w telewizji leciał jakiś mecz i osiedle się wyludniło. Łaziliśmy do ciemnej nocy – Tata gwizdał, Mama cmokała, my z Gniewkiem nawoływaliśmy Pompona do zachrypnięcia. Kiedy przechodnie pytali nas, kogo szukamy, mówiliśmy, że piesek nam uciekł.

Wreszcie usiedliśmy na placu zabaw przed szkołą. Gniewosz oparł się o zjeżdżalnię i pociągał nosem, mnie też nie było do śmiechu. Opowiedzieliśmy rodzicom całą historię i trzeba przyznać, że zachowali się w porzo – nie dali po sobie poznać, że nie wierzą w gadające smoki.

– A więc to smok spalił sierść na grzbiecie Sułtana? – zapytała Mama.

– Tak – odpowiedział Gniewosz. – On nie przepada za kotami.

– I smok załatwił wszystkie moje pelargonie? – pytała dalej.

– Tak – potwierdził Gniewek.

– I to on sformatował mój dysk w komputerze? – zapytał Tata. Mój brat zawahał się.

– Tak – mruknął niewyraźnie.

W tym momencie w drewnianym domku na szczycie zjeżdżalni rozległ się rumor i usłyszeliśmy szpetne przekleństwo.

– Ty podły kłamco! – rozległ się głos w ciemnościach. Ciemny kształt z hurgotem zjechał wprost pod nasze nogi. – Łżesz jak kot!

Pompon (bo to był on) dźgnął Gniewka w brzuch wskazującym pazurem, a z nosa buchnęły mu dwa obłoczki dymu. – Sam sformatowałeś, ciemięgo, a teraz zrzucasz winę na niewinne zwierzątko?!

Porwaliśmy Pompona na ręce, chociaż wyrywał się i drapał. Gniewek z radości pocałował smoka w obrażony pyszczek. Rodzice stali obok ze śmiesznie rozdziawionymi ustami. A mnie kamień spadł z serca – koniec ściemniania i kłamstw: mamy własnego smoka. Teraz to jest nasz wspólny, rodzinny kłopot.

Rodzice raz po raz przyglądają się Pomponowi z nie-dowierzaniem, jakby wątpili w swoje zdrowe zmysły. Ledwo wróciliśmy do domu, Mama zdjęła z pawlacza stare dziecinne łóżeczko ze szczebelkami i wstawiła je do naszego pokoju.

– Smok nie będzie dłużej spał w skrzyni na pościel – powiedziała. – To niehigieniczne. Może mieć pasożyty albo choroby odzwierzęce...

Pompon najpierw się obraził, a potem zbystrzał nagle i oświadczył, że owszem, ma jedną taką poważną chorobę zakaźną, a pomagają na nią tylko korniszony. Dużo korniszonów. Nooo, tacy głupi to my nie jesteśmy, znamy ten stary numer Pompona. Ilekroć chciał wyłudzić korniszona, symulował boleści i wmawiał nam, że to smocza grypa. Tere-fere!

Gniewek przeniósł posłanie naszego smoka do dziecinnego łóżeczka. Przy okazji znalazł pod kocykiem kawałek kabanosa, ogryzek, trzy złote w pięciogroszówkach i komiks o Barbarelli, który Pompon najwidoczniej zwinął naszemu Tacie. To taka historia z biuściastą blond kosmitką – Tatusiowa pamiątka z dzieciństwa. Tata trochę się nabzdyczył, ale szybko mu przeszło, kiedy okazało się, że Pompon zna cały komiks na pamięć.

– *Wybiła godzina prawdy, Barbarello! Odrzuć swój laserowy miecz! – Och! Nie bądź dzieckiem, Haroldzie*

nigdy mnie nie posiądziesz! – recytowali przy kolacji, a Tata szczerze się wzruszył. Tylko Mamę zemdliło, kiedy Pompon wysypał na talerz swój ulubiony przysmak – pokarm dla rybek. Żywy pokarm.

Poszliśmy spać po jedenastej. Rodzice długo jeszcze gadali w sypialni, ale Pompon chrapał tak głośno w swoim nowym łóżku, że nic nie zdołałam podsłuchać.

Nie jest lekko być zastępczą rodziną smoka. Rano Pompon zerwał się przed siódmą i zajął łazienkę na dobre pół godziny. Nic nie pomogły awantury pod drzwiami – odkręcił kran i udawał, że nie słyszy. Na koniec wyszedł z ręcznikiem udrapowanym na głowie w fantazyjny precel.

– Co tam robiłeś tyle czasu? – ryknął na niego Gnie-wek.

– Depilowałem brwi! – odpowiedział smok z godnością.

– Przecież ty nie masz brwi!

– Ignorant! – syknął Pompon i pobiegł do kuchni.

Przytargał stołek kuchenny, ułożył na nim dwa tomy *Kuchni polskiej*, usadowił się na tej piramidzie i zażą-dał jajecznicy. Mama, która nie ma wprawy w obco-waniu ze smokiem, usmażyła mu jajka na boczku bez szemrania. Ale potem nastąpiła lekcja dobrych manier i Pompon dowiedział się, że nie wolno opalać grzanek smoczym oddechem, a majtanie ogonem przy stole jest wykluczone.

– Co masz zamiar robić pod naszą nieobecność? – za-pytał Tata.

– Hmmm, może ugotuję obiad... – odpowiedział smok.

– Umiesz gotować? – zdziwił się Tata.

– Jasne! My, smoki, potrafimy prawie wszystko!

– A jakie produkty będą ci potrzebne? – wtrąciła Mama.

– Rabarbar i szare mydło – odparł Pompon bez wa-hania.

Stanęło na tym, że na obiad będą wczorajsze klopsi-ki, a Pompon raczej zajmie się sprzątaniem.

**N**asza szkoła stoi niedaleko, cztery przecznice od domu. Moglibyśmy chodzić do niej sami, ale Tata woli nas odprowadzać. Po drodze przecinamy ruchliwą ulicę Gagarina, a potem mijamy skwer osiedlowy i cukiernię pana Jaworka. W tej cukierni przepuszczamy

całe kieszonkowe, bo babeczki z truskawkami są tu najlepsze na świecie. Za cukiernią Tata skręca w stronę przystanku, a my biegniemy na skróty przez boisko do szkoły.

W szatni dyżuruje pan woźny Olszewski, który ma wielkie krzaczaste brwi i groźnie nimi rusza, lecz tak naprawdę jest bardzo poczciwy.

– Co słychać, robale? – zapytał nas jak co dzień.

– Wszystko gra, panie Olszewski. Smok nam uciekł, aleśmy go znaleźli – palnął Gniewek.

– Ze smokami nie ma żartów, one takie są... Uciekalskie – odpowiedział pan woźny i poczęstował nas orzechami ze swojej działki, których ma pełne kieszenie.

Za drzwiami uszczypnęłam Gniewka w plecy.

– Czyś ty zwariował? Zamierzasz wszystkim opowiadać o Pomponie? Chcesz, żeby go zabrali do zoo?

– Spoko, Malwina! Wypróbowałem to. Można gadać o smoku, co się chce. I tak nikt nie wierzy.

Rozstaliśmy się pod drzwiami mojej klasy. Gniewosz poleciał na górę, bo starsi mają lekcje na piętrze.

Pierwszy był polski. A ponieważ właśnie przypadał Światowy Dzień Zwierząt, pani Ujma kazała nam wyjąć kartki i opisać swoje ulubione zwierzątko. Z początku chciałam napisać o kucykach, ale potem zmieniłam zdanie.

Moje ulubione zwierzątko jest nieduże. Od czubka nosa do końca ogona ma pięćdziesiąt centymetry długości. Jest to młody samiec i trudno przewidzieć, jak duży urośnie. Pokryty jest łuską – ciemnozieloną na grzbiecie, a seledynową na brzuszku...

Nigdy jeszcze pisanie wypracowania nie poszło mi tak łatwo. Obie strony kartki zapełniłam drobnym maczkiem i oddałam pani. Opisałam Pompona dokładnie, ale nie ujawniłam, że jest smokiem, i nie wspomniałam ani słowem o jego szczególnych talentach. Na końcu narysowałam ślad łapki z długimi pazurkami. Zuzia zaglądała mi przez ramię i myślała, że piszę o kotach. Ona sama opisała szczura swojej kuzynki.

Z Zuzią jest problem. Kiedyś byłyśmy nierozłączne i mówiłyśmy sobie wszystko, ale od czasu Pompona wiele się zmieniło. Po pierwsze, Zuzia już do nas nie przychodzi. Po drugie, niewiele rozmawiamy, bo ciągle obawiam się, że coś chlapnę w rozmowie i nasz „smoczy" sekret się wyda. Przez to wszystko Zuzia spędza coraz więcej czasu z Gabrysią Król, a na mnie trochę się boczy. Ech! Życie jest skomplikowane!

Na wuefie graliśmy w zbijaka i Kacper zbijał tylko mnie. Kacper jest fajny, chociaż niezbyt urodziwy. Zapisał się do chóru (choć mu słoń na ucho nadepnął). Po próbach razem wracamy ze szkoły. Gniewosz trochę się z niego nabija i nazywa go „szwagrem", lecz Kacper nic sobie z tego nie robi.

Dziś podarował mi zakładkę do książki z Harrym Potterem, którego ubóstwiam. Kacper nie jest podobny do Harry'ego – już raczej do Rona. Ma takie same odstające uszy.

Do domu wracaliśmy pędem, bardzo ciekawi, jak Pompon spędził pierwszy dzień bez konspiracji. Koło trzepaka zatrzymała nas pani dozorczyni.

– Od kiedy to wy macie psa? – zapytała.

– My nie mamy psa! – odpowiedział Gniewosz.

– Taki mały, a kłamie jak z nut… – obruszyła się dozorczyni. – A niby kto obszczekał listonosza? Może KOT? – gniewnie naciągnęła beret na uszy.

– Oj! – jęknął Gniewek i spojrzał na mnie znacząco.

– Kłamstwo ma krótkie nogi, zawsze się wyda! – pogroziła palcem dozorczyni. – I powiedzcie rodzicom, że za psa trzeba zapłacić podatek! – krzyczała za nami, kiedy biegliśmy do klatki schodowej.

W domu panowała cisza. Na podłodze pod drzwiami leżała kupka listów. Nikt nam nie wybiegł na spotkanie. Pompona nie było w naszym pokoju ani w kuchni. Za to w salonie leżał na środku bezładny kłębek kabla, z którego wystawała głowa smoka.

– No, nareszcie! – mruknęła głowa na nasz widok.
– Ile można tak leżeć?

– Pompon! Napadli cię?!!! Związali?

– Niezupełnie – wymamrotał smok. – To meteor.

– Meteor? – powtórzyliśmy jak echo, odplątując Pompona ze zwojów kabla. Dopiero teraz zauważyliśmy, że jego koniec znika we wnętrzu odkurzacza. A odkurzacz nazywa się „Meteor". No tak, wszystko jasne!

– Sprzątałeś? – bardziej stwierdził, niż zapytał Gniewek.

– Owszem. Ale ten bydlak nie chciał oddać kabla! – Pompon uwolnioną łapą wskazał na odkurzacz. – Co ja wyciągnę, on wciąga! Już, już prawie sięgałem do gniazdka... a on – ziuuuu! – zabiera mi kabel. Na koniec myślę sobie: „Nie przerobisz mnie, cwaniaczku!". Pociągnąłem kabel do przedpokoju i dalej, do kuchni... a wtedy on jak mnie nie szarpnie, jak mnie nie skotłuje, skubany! No i leżę tu od dwóch godzin. Próbowałem sposobem, turlałem się jak szalony... ale było coraz gorzej – Pompon machnął łapą z rezygnacją. – Macie coś do jedzenia? Zgłodniałem.

Odgrzaliśmy klopsiki, Gniewek zrobił kisiel błyskawiczny i najedzeni, zabraliśmy się do naprawy walkmana, którego smok utopił w wannie. Rozbieranie poszło nam migiem – na biurku urosła piramida drobnych części. Wysuszyliśmy je starannie suszarką do włosów, wyrzuciliśmy mokre baterie, a potem Pompon zabrał się do składania. Grzebał długimi pazurkami w stercie elektronicznych podzespołów, po czym próbował przyklejać parami do siebie. Niestety, nie pasowały.

– Nic nie szkodzi – pocieszał smok. – Zrobimy to inaczej. Kopnij się po zmiotkę!

Gniewosz pobiegł do kuchni i po chwili wrócił ze zmiotką. Smok zmiótł starannie wszystkie części na szufelkę i przesypał do obudowy walkmana. Potem zatrzasnął wieczko i skleił całość taśmą. Potrząsnął... Drobne części zagrzechotały donośnie.

– Juuuhuuu! – ucieszył się Pompon. – Nie mamy walkmana, ale za to mamy MARAKASY!

Po czym, poruszając energicznie obudową, wykonał kilka tanecznych figur.

– *E viva samba!*[1] – ryknął i zakręcił kuperkiem.

Gniewek popatrzył na smoka z niedowierzaniem.

Chwilę później do domu wszedł Tata.
– Cześć, dzieciaki! Co słychać? – rozdał po buziaku nam i Pomponowi. – Pani dozorczyni pytała o jakiegoś psa. Wiecie coś na ten temat? – Tata obrzucił nas „rentgenowskim" spojrzeniem.

---

[1] Niech żyje samba!

E viva samba!

Dałabym głowę, że Pompon zarumienił się pod łuskami na pyszczku.

– To ja nastawię wodę na herbatę! – powiedział i czmychnął do kuchni.

– No taaak, znowu on – westchnął mój brat. – My nie mamy z tym nic wspólnego.

W kuchni smok właśnie wspinał się na palcach i próbował sięgnąć do przycisku czajnika.

– Nie nalałeś wody... – Tata napełnił czajnik. – Mów prawdę, kolego. Co to za pies, hę?

– To JA – przyznał Pompon i pociągnął nosem obłudnie.

– Ja sam obszczekałem listonosza. I chapnąłem go w palec, kiedy wrzucał listy przez szczelinę w drzwiach.

– No nieee! – jęknął Gniewosz. – Pójdziemy siedzieć przez tego żula!

– Zaraz, zaraz... Niby jak szczekałeś? – wtrącił Tata.

– Umiem imitować szczekanie labradora i owczarka – pochwalił się smok. – Chcecie posłuchać?... Hau! Hau! Hauuu!

Ujadanie Pompona rozległo się w całym domu. Z góry odpowiedziało mu szczekanie Sznycla, za drzwiami pani Wawrzynek rozjazgotała się Pusia – wyłupiastooki ratlerek.

– Ciiiiszej, ciiiszej! – jęknął Tata i zatkał pyszczek smoka. – OSTATNI RAZ byłeś psem. A teraz basta! Jak my

wytłumaczymy panu listonoszowi, że nie byłeś szczepiony przeciwko wściekliźnie, hę? Myśl, myśl, kolego,
skoroś taki bystrzak!

Pompon stropił się na chwilę, po czym wypalił:

– Jestem nieletni! Za szkody wyrządzone przez dzieci
odpowiadają rodzice – oskarżycielskim gestem wskazał Tatę.

Tata ciut się zdenerwował, na twarz wystąpiły mu
ceglaste rumieńce.

– Pompon, z całym szacunkiem... Czy ja wyglądam na twojego RODZICA??! Znamy się ledwo od wczoraj!

– A więc to tak... – chlipnął smok – wszyscy huzia na biedną sierotkę! Czy to moja wina, że nie mam ojca, matki?!!! – odwinął z rolki metr papierowego ręcznika i zatrąbił nosem donośnie.

– Udaje – oświadczył Gniewek bezlitośnie.

– Udaje! – potwierdziłam.

– No dobrze, rozmowę z listonoszem biorę na siebie – westchnął Tata – ale żeby mi to było ostatni raz!

– Jasne, Tatku! – ucieszył się smok i zawisł ojcu na szyi. A potem z radości zagrzechotał walkmanem. – *Carramba!*

Nie minął tydzień, a już Pompon rozpierał się na środku kanapy, oglądając z Tatą mecze, albo pomagał Mamie układać pasjanse w komputerze. Wyszukał mi w Internecie mnóstwo wiadomości do referatu o Krzyżakach, a Gniewka nauczył gwizdać na palcach. Jednym słowem – stał się niezastąpiony.

Uszło mu na sucho nawet to, że zadzwonił do cioci Michasi, podając się za hodowcę kotów, i naopowiadał jej niestworzonych rzeczy o Sułtanie.

– Droga pani, ja proszę i przestrzegam, przestrzegam i proszę: pora pozbyć się tego zbrodniarza... – cedził Pompon do słuchawki. – To niezwykle niebezpieczny gatunek...

– Ależ to niemożliwe... mój Sułtan? – biadoliła ciocia.

– Tak jest – potwierdził Pompon. – Pomyłka wykluczo-
na. Mamy go w swojej kartotece. To kot utajony mor-
derca, we śnie uśmierca opiekuna. Ten gatunek łatwo
poznać po charakterystycznych znamionach. Czy kot
pani ma ciemniejszą pręgę na grzbiecie?

– Ma – potwierdziła ciocia Michasia.

– A oczy zielone z żółtymi cętkami?

– Tak, tak, właśnie takie! – jęknęła ciocia.

– A zatem jest dokładnie tak, jak się tego obawiałem. To *gattus mordoricus* – niezwykle niebezpieczny kot, który latami nie zdradza morderczych instynktów, a potem – hyc! – i TRUP!... – plótł Pompon.

Po tej rozmowie ciocia Michasia zamknęła Sułtana w łazience i przyjechała do nas taksówką. Tata dał jej kieliszek nalewki, Mama zaserwowała neospasminę, a kiedy ciocia ochłonęła, wysłuchaliśmy relacji z rozmowy. Na koniec dodała:

– Zastanowiło mnie tylko... ale to pewnie jakaś awaria w telekomunikacji...

– Co takiego? – zapytała Mama.

– Dałabym głowę, że kiedy ten pan dzwonił, na aparacie wyświetlił się WASZ numer telefonu – powiedziała ciocia.

Wszyscy zamilkli.

– To my na chwileczkę przepraszamy – przerwał milczenie Gniewek i pociągnął mnie do naszego pokoju. Światło było zgaszone, ani śladu smoka.

– Gdzie jesteś? Wyłaź! – syknął Gniewek od progu.

– Nie mogę, jestem bardzo zajęty – rozległ się głos z szafy. – Wpadnijcie później.

– Wyłaź, cwaniaczku, i zachowuj się jak mężczyzna!
– Gniewek nie zamierzał odpuścić.

Pompon uchylił szafę, przytrzymując drzwi łapką.

– Na żartach się nie znacie? – wymamrotał przez szparę.

– Ciocia nie wygląda na ubawioną. Zaraz to wszystko odkręcisz!

Wpakowaliśmy smoka do plecaka i wymknęliśmy się do budki telefonicznej. Gniewek wybrał numer komórki cioci Michasi i oddał słuchawkę Pomponowi. Trudno uwierzyć, że ciocia dała wiarę żałosnej historyjce o prima aprilisie (dobre sobie, w środku września!) i przyjęła przeprosiny „hodowcy kotów". W każdym razie kiedy wróciliśmy do domu, stwierdziliśmy, że nikt nie zauważył naszej nieobecności, a ciocia – rozpromieniona – zbierała się do wyjścia.

– Sułtan, biedactwo, siedzi w łazience od godziny. Jak ja go przebłagam?... Taki afront... Taki brak zaufania! Mój pieszczoszek słodki... Niedobra pańcia, wstrętna... – obwiniała się ciocia.

Pompon za jej plecami wywalił jęzor i zrobił brzydki gest, jakby mu się zbierało na wymioty.

– **K** to to zrobił? – krzyczała Mama. – Uduszę drania! Pytam po dobroci: KTO?!

Była sobota, ósma rano, ledwo otworzyliśmy oczy. Mama stała na środku pokoju, potrząsając dramatycznie pustym słoikiem po kremie.

– Nie wiem, o co pytasz, ale to na pewno nie ja – odpowiedziałam przezornie.

– Ani ja! – zapewnił Gniewek.

– W takim razie to musiałem być JA – dobiegł nas spod kocyka głos Pompona. – A o co właściwie chodzi?

– O krem przeciwzmarszczkowy, który dostałam od Świętego Mikołaja – wysyczała Mama, zbliżając się do

Pomponowego łóżeczka ze złowrogim wyrazem twarzy. – Dolce & Gabbana, potwornie drogi krem! Przyznaj się, gadzie, zjadłeś? – ryknęła Mama, zrywając kocyk z Pompona.

– O jejku, żeby zaraz „gadzie"! Tyle rabanu o odrobinę perfumowanego tłuszczu? – fuknął smok, próbując naciągnąć kocyk na głowę.

– Per-fu-mo-wa-ne-go tłuszczu? – Mama wyglądała tak, jakby miała za chwilę eksplodować. – Pożarłeś mój najlepszy krem, troglodyto!!! A muchy to nie łaska? A robale? – cedziła z furią.

– Owszem, poproszę! – odparł Pompon i oblizał zielony pyszczek.

– Trzymajcie mnie, bo go rzucę Sznyclowi na pożarcie! Albo wepchnę z powrotem do odpływu umywalki! – Mama rzuciła się w pogoń za Pomponem, który przecisnął się między prętami łóżeczka i prysnął ile sił w nogach.

Sąsiedzi załomotali w sufit. Tata wynurzył się z sypialni.
– Kochanie, na miłość boską!
– Nie zjadłem, nie zjadłem! – wrzeszczał smok, siedząc na karniszu, gdzie wdrapał się po firance. – Słowo honoru!
– Złaź, Panie Prawdomówny! Przerobię cię na mufkę! – Mama próbowała dosięgnąć smoczego ogona, którym Pompon majtał wte i wewte.

– Kiedy naprawdę, nie zjadłem! – Pompon niebezpiecznie balansował na karniszu. – Ja go użyłem ZEWNĘTRZNIE.

– Że niby jak? – Mama zaniechała prób ustawienia stołków w piramidę.

– Zewnętrznie. Znaczy... wtarłem i wklepałem, zgodnie z instrukcją na pudełku.

– W co? – ryknęła Mama. – W co wklepałeś?

– W łuski, ma się rozumieć – Pompon, widząc, że pierwszy atak szału minął, opuścił się w dół po firance i wyjął Mamie z rąk pudełko po kremie. – Ooo! – popukał pazurem w napis – *nawilża i ujędrnia skórę, zapobiega rogowaceniu.* A czy młody, przystojny smok nie ma prawa nawilżać i ujędrniać? A także zapobiegać rogowaceniu? Co?

– Chcesz powiedzieć, że wtarłeś sobie mój najlepszy krem w te chitynowe blachy na pupie? – zapytała Mama. – Równie dobrze mógłbyś ujędrniać karoserię naszego fiata, ty smoczy móżdżku!

– Tylko bez epitetów! – obruszył się smok.

– Wrrrrrr! – fukając i warcząc, Mama wymaszerowała do kuchni i tam zaczęła hałasować garnkami.

– Okej, okej! Nałapię much, sprzedam i odkupię ten głupi krem! – krzyknął za nią Pompon.

Nie uwierzycie – jedziemy z Pomponem na zieloną szkołę. Klasa moja i Gniewka jadą razem. Początkowo nie było mowy o zabraniu go ze sobą. To zbyt niebezpieczne. Ale ten histeryk zrobił taką scenę, tak długo jęczał i tłukł czołem o meblościankę, że musieliśmy ustąpić. Zapakowałam go do podręcznego plecaka z kanapkami. Na wierzchu przytroczyłam Karola i mój ulubiony kubek z kangurkiem.

Mama, o dziwo, dała buzi Pomponowi na pożegnanie, a nawet wrzuciła do bocznej kieszonki plecaka pudełko karmy dla rybek.

W autobusie usiadłam z Kacprem, przez co dziewczyny z klasy miały używanie. Rzucały w nas chrupkami kukurydzianymi i cmokały głośno. Kacper udawał, że tego nie widzi – wsadził nos w zeszyt i rozwiązywał sudoku, ale uszy miał coraz bardziej czerwone.

Po drodze zdążyłam wiele razy pożałować, żeśmy Pompona wzięli ze sobą. Do Kutna spał, lecz potem zaczęły się kłopoty. Najpierw, na postoju, kiedy wypuściłam go do lasu na siusiu, rzucił się w pogoń za jakimś robalem i zniknął mi z oczu. Kiedy go wreszcie dopadłam, z pyszczka zwisały mu jakieś podejrzane farfocle, a nos miał cały w pajęczynach.

Potem, za Kutnem, zaczął wiercić się w plecaku i bek-nął głośno: „hellou!" – tak jak to on potrafi. Kacper pod-niósł wzrok znad sudoku i spojrzał na mnie zdziwiony. Co miałam zrobić? Powiedziałam: „przepraszam".

Pół godziny później w plecaku rozpoczął się jakiś podejrzany ruch i ciamkanie, na szczęście Kacper ga-dał właśnie z Mietkiem Patykiem. Nietrudno zgadnąć – Pompon, nie czekając na postój, dobrał się do kana-pek. Zeżarł wszystkie z pastą jajeczną, zostawił mi tyl-ko jedną, z bryndzą, której nie lubię.

Reszta podróży upłynęła mi na nadsłuchiwaniu od-głosów z wnętrza plecaka. Na pytania Kacpra albo nie odpowiadałam wcale, albo odpowiadałam bez sen-su, toteż na koniec przesiadł się do Mietka i grał z nim w kartofla.

– I już po miłości! – jęknęła Betka, przewracając ocza-mi, a dziewczyny rozchichotały się za moimi plecami.

Ledwo dojechaliśmy, zamknęłam się w łazience i wygarnęłam Pomponowi, jakiego mi narobił obciachu.

– Nie możesz bekać, prostaku, kiedy przyjdzie ci na to ochota! – tłumaczyłam mu grzecznie. – A już na pewno nie wolno ci bekać na moje konto...

– Ja tylko upuszczam nadmiar gazów trawiennych. To konieczne przy mojej diecie. Gdybym tego nie robił, mogłoby dojść do samozapłonu... – kręcił jak zwykle Pompon.

– Że co?

– Samozapłon, implozja... Buuum! I nie ma smoka! – wymachiwał łapkami, siedząc na brzegu umywalki. – Czy aby na pewno TEGO chcesz?... Albo zionę ogniem, albo bekam. Jest jeszcze trzecia opcja, ale też ci się nie spodoba... – Uśmiechnął się obleśnie.

– Łżesz, krętaczu!

– Nie przejmuj się. Jak kocha, to wybaczy. A jak nie, zawsze możesz wyjść za ogra, he, he, he...

– O czym ty mówisz, Pompon?!

– O tym twoim amancie z kłapciastymi uszami. Widziałem go przez dziurkę w plecaku – smok śmiał się bezczelnie.

– Uduszę cię, poczwaro!

W tym momencie pani Kwaczek załomotała do drzwi łazienki. Egzekucja Pompona została odroczona.

Ośrodek szkolny w Dłużewie stoi pośrodku dużego parku. Ustaliliśmy z Gniewkiem, że smok spędzi trzy dni w mojej sali, a kolejne dwa z nim. Na szczęście, sypialnia dziewczyn jest na parterze, toteż rano mogę Pompona wypuszczać przez okno, a on przebiega pędem przez trawnik i znika w zaroślach. Po obiedzie wraca pod okno i – ukryty w krzakach – cicho szczeka. Wtedy ja pod byle pretekstem wymykam się do parku i przynoszę go pod swetrem. O jedzenie nie musimy się martwić, Pompon radzi sobie doskonale, choć wolę nie zgadywać, czym się żywi.

– Spotkałem dwie myszy... – zachwyca się smok – i kaczkę, i kozę, i kreta! Swoją drogą... myślałem, że krety mówią po czesku...

– Dlaczego po czesku?

– Nooo... Tak jak Krecik... z dobranocki – wyjaśnia Pompon. – Ale ten był małomówny. I zalatywał szambem. Musiałem go wypluć.

– Zjadłeś kreta???

– No przecież mówię, że wyplułem – żachnął się Pompon. – A u ciebie co na obiad? – zapytał po chwili. – Świnia, jak zwykle?

W sypialni wybrałam łóżko w kącie pod oknem. Po obiedzie Pompon zagrzebał się pod kocem i uciął sobie drzemkę, podczas kiedy nasza klasa miała lekcje w świetlicy na piętrze.

Na wieczór pani Kwaczek zapowiedziała ognisko. Ja i Gniewek zgłosiliśmy się do rozpalania, co z pomocą smoka zajęło nam nie więcej niż parę sekund – Pompon bluznął ogniem jak miotacz płomieni. Kiedy klasa nadeszła, ognisko już się paliło, a my dostaliśmy pochwałę.

Smok, ukryty w krzakach, siedział w ciemności i słyszał każde słowo. Kiedy śpiewaliśmy, przyłączał się do śpiewu, a że strasznie fałszował, nasza pani raz po raz oglądała się na ostatnie rzędy i próbowała zgadnąć, czyja to sprawka.

– Mańkowski, zlituj się, nie rycz!

– Ja, psze pani? Ja nawet ust nie otwarłem! – protestował oburzony Mańkowski. – Nie śpiewam, bo mnie Pakuła poczęstował krówką.

– ... Stokroooootka rosła poooolna... – zawodził Pompon w krzakach.

Po ognisku Gniewek w ciemności przerzucił smoka przez okno naszej sali. Z poduszki i koca wymościłam Pomponowi posłanie pod łóżkiem, ale w nocy wpakował mi się pod kołdrę. Zepchnął Karola na podłogę i zwinął się w kłębek.

– Znowu nie myłeś zębów – mruknęłam.

– Pasta niszczy szkliwo – odpalił i zasnął.

Nazajutrz wszystko szło gładko. Pompon wymknął się przed śniadaniem, wrócił po obiedzie. Był ufafluniony jak nieboskie stworzenie i bardzo z siebie zadowolony. Nie zdążyłam go nawet wypytać, co porabiał – walnął się pod kocyk i już spał.

Niestety, w czasie lekcji historii pani Kwaczek wysłała mnie i Kacpra po mapy. Zabraliśmy mapy ze składziku, ale w drodze powrotnej wstąpiłam jeszcze po zeszyt do naszej sali. Kacper wszedł za mną i czekając, aż znajdę zeszyt w szafie, z rozmachem usiadł na łóżku. Usiadł – i zerwał się natychmiast, bo spod skłębionego koca rozległ się pisk.

Pompon miotał się pod kocem, wyrzucając z siebie potok wymowy:

– Mój nos! Mój ogon! Niech to szlag... Rozdeptał mi nos! O, mamo! Co za idiota!

Kacper osłupiał. Koc znieruchomiał i zapadła cisza.

– Co to? – wyszeptał Kacper.

– Pies. Mój piesek – odpowiedziałam bez sensu. Chwyciłam zeszyt i mapy. – Musimy wracać na lekcję. Natychmiast!

Wypchnęłam Kacpra siłą na korytarz i przekręciłam klucz w zamku. Był zbyt przejęty, żeby protestować. Dał się zaciągnąć do klasy, kiedy obiecałam mu, że wszystko wyjaśnię w swoim czasie.

Lekcja ciągnęła się w nieskończoność. Nie zrozumiałam z niej ani słowa. Kacper zasypywał mnie pytaniami, nabazgranymi w zeszycie do matmy.

– Kto to był? Krasnoludek? Ufoludek? Karzełek? Pies, który mówi? Troll?

– Smok – szepnęłam mu do ucha.

– Kieszonkowy?

– A żebyś wiedział!

Kacper spojrzał na mnie jak na wariatkę i zatrzasnął zeszyt ze złością. Mój brat miał rację – prawda jest najlepszym kamuflażem.

Ledwo lekcja dobiegła końca, popędziłam do Gniewka. W dwóch słowach powiedziałam mu, co zaszło, na co mój brat zaczął bić się pięściami po głowie.

– Za co...? Za co mnie to spotyka? Inni kumple mają jamnika... albo chomika... a ja mam siostrę kretynkę!

Konspiratorka od siedmiu boleści! – biadolił. – Idziemy po Pompona! – zadecydował i pomaszerowaliśmy do sypialni dziewczynek.

Ale Pompona nie było pod kocem. Nie pomogło nawoływanie i przetrząsanie szafy – zniknął. Chcąc nie chcąc, opowiedzieliśmy całą historię Kacprowi. Słuchał uważnie, bez słowa. Tylko jego rozłożyste uszy poruszały się nerwowo.

– Smok? – upewnił się. – Na bank? Nie gekon? Nie waran, nie traszka, nie salamandra...?

– Masz szczęście, że Pompona tu nie ma, dostałoby ci się za tę traszkę – obruszył się Gniewek. – Nie, kolego, to jest SMOK! Co do tego nie ma żadnych wątpliwości.

– To co robimy? – zapytałam.

– Szukać nie ma sensu – orzekł mój brat. – Z głodu nie zginie, a teren zna lepiej od nas. Możemy tylko czekać. Na wszelki wypadek nie zamykaj na noc okna – upomniał mnie Gniewek i z nosami na kwintę rozeszliśmy się do sal.

Długo nie mogłam zasnąć, a byle szmer za oknem podrywał mnie z łóżka.

Pompon nie wrócił ani tego dnia, ani nazajutrz. Gniewek chodził jak struty, ja beczałam po kątach, aż pani Kwaczek wzięła mnie na spytki. Skłamałam, że zginął mi ulubiony kolczyk. Kacper pocieszał mnie jak umiał, ale kiepsko mu to wychodziło. Dałabym głowę, że nadal nie wierzy w istnienie smoków.

W ostatnim dniu pobytu wydarzyło się coś dziwnego. Podczas śniadania w stołówce zapanowało niezwykłe poruszenie. Panie kucharki wywołały naszą wychowawczynię z sali i dyskutowały półgłosem na korytarzu.

– ... w szopce na grabie i gracki... – mówiły kucharki.

– ... dwie poduszki, połeć słoniny i kubek po koglu-moglu... – teatralnym szeptem meldowała gruba pani Helena.

– ... termos pana dyrektora, jego Złoty Krzyż Zasługi i puszka z rosówkami... – piszczała pani Stasia.

– ... i pełno kocich kłaków...

– To na pewno nie moja klasa – oponowała pani Kwaczek. – Przecież od rana do nocy mam wszystkich na oku...

– Złociutka, pani nie ma pojęcia, jakie te cholery są sprytne... – wtrąciła pani Helena. – Takie niby trusie, aniołeczki cacane... A poprzedni turnus wszystkie welony z fontanny wyłapał i do strumienia powrzucał. Już ja ich znam, bachorów przeklętych! Pasem lać i patrzeć, czy równo puchnie!

– Nie ma co iść w zaparte, są dowody! – wtórowała jej pani Stasia. – Tak se myślałam, że to Walduś, kościelnego syn... Ale przecie Walduś chłop jak dąb... A na słoni-

nie ślady ząbków drobniutkie... Ani chybi, któreś z paninych dzieciaków tam się rządziło!...

Pani Kwaczek jeszcze chwilę zaprzeczała, ale na koniec poszła z kucharkami w stronę szopy w głębi parku.

Popatrzyliśmy na siebie z Gniewkiem porozumiewawczo. Pompon żyje i ma się dobrze! Któż by inny kogel-mogel zagryzał słoniną? I ten Złoty Krzyż Zasługi... Zawsze miał słabość do błyskotek. Teraz tylko trzeba go znaleźć i zagonić na czas do autokaru!

Pompon, nie świruj! Autobus odjeżdża zaraz po obiedzie. Rosówki kupimy ci w sklepie wędkarskim – nie bądź głupi, wracaj z nami! Przecież tutaj nie ma komputera. A w przyszłym tygodniu mecz o mistrzostwo Polski! Tata kupił ci szalik klubowy. Mama tęskni, dzisiaj esemesowała – pyta, co u ciebie. Masz godzinę, a potem – astalawista! – jak mówią Francuzi. Czekamy! – tak nabazgrał Gniewek na kartce wyrwanej z zeszytu. List podrzuciliśmy do szopki, kiedy już cała delegacja kucharek z panią Kwaczek przeczesała kryjówkę Pompona. Postaliśmy chwilę w półmroku, nadsłuchując, ale nikt się nie pojawił.

Opóźnialiśmy odjazd autokaru na tysiąc sposobów. Kacper „zgubił" adidasy, Gniewek dostał boleści, ja „zatrzasnęłam się" w toalecie – wszystko na nic. Pompona ani śladu. Kiedy już pani Kwaczek dostała czerwonych plam na szyi i zaczęła jej latać powieka (co zdarza się zawsze tuż przed atakiem szału) – odpuściliśmy. Z płaczem usiadłam obok Kacpra i autokar ruszył.

– Fajny był... – jęczał Gniewek podczas przerwy w podróży, kiedy cała klasa pobiegła na siku. – ... Znał na pamięć składy Feyenoordu, A.C.Milan i Borussi Dortmund! I miał takiego nosa do piłki, że majątek mógłby zbić na totalizatorze.

– Nooo! I najlepiej grał w garibaldkę. Nawet naszego Tatę ogrywał! – dodałam. – Jak on sobie zimą poradzi, kiedy wszystkie robale zamarzną? Kryjówka w szopce spalona... Gdzie on się podzieje? A jeśli urośnie?...

Kacper patrzył na nas z niedowierzaniem.

– Może to zbiorowa sugestia? – wymamrotał. – Może wam się tylko wydawało? Co?

Zamurowało nas. Patrzcie go... Niedowiarek!

– Jasssne, stary! – prychnął mój brat. – Ty też jesteś fatamorganą! A tę słoninę to pewnie ja sam obgryzłem – odwrócił się na pięcie i poszedł gadać z Pakułą.

Popatrzyłam na Kacpra z wyrzutem. Może on nie jest taki fajny? Może to pomyłka? Jak można ufać komuś, kto nie wierzy w smoki?

Bez słowa wsiadłam do autokaru i odwróciłam się do okna.

M ama i Tata czekali przed szkołą. Po naszych minach poznali, że coś nie gra. Gniewek szepnął rodzicom na ucho, co zaszło. Raz-dwa zabraliśmy bagaże i ruszyliśmy do domu. Wlekliśmy się w milczeniu – jak kondukt żałobny po utracie przyjaciela.

– A w piwnicy szukaliście? – zapytała Mama.

– I w piwnicy... i na strychu... i w krzakach wokół ośrodka. Znaleźliśmy nawet piłkę do nogi – tę, co ją zgubiliśmy w zeszłym roku – odpowiedział Gniewosz.

– Jak chce, to potrafi się kamuflować... Cwaniaczek! – dodałam z żalem. – Aaaa, co tam... niech się ugania za kretami. Padlinożerca bez serca!

– Milutki był – Mama pociągnęła nosem. – Z kim ja teraz będę układać pasjanse?

– A nie mówiłem – nie brać go na wycieczkę?! Mówiłem, powtarzałem... Ale czy mnie ktoś w tej rodzinie słucha? – pieklił się Tata.

– Akurat! A jak Pompon wył i groził, że wyskoczy oknem, to sam mu spakowałeś piórnik i jeszcze kieszonkowe dałeś na drogę! – wypalił Tacie prawdę w oczy Gniewek.

– Bo strasznie nie lubię histeryzujących smoków... – wymamrotał Tata i zamilkł.

Kolację zjedliśmy w ciszy. Nikt nawet nie sprawdził, czy nogi umyte – rach-ciach i byliśmy w łóżkach. Gniewek wiercił się i wzdychał, wreszcie usnął. Długo leżałam w ciemnościach, z Karolem w objęciach. Gdzie jest teraz Pompon? Czy mu nie zimno? Czy nie głodny?

Ocknęłam się w środku nocy. Neon nad warzywniakiem zapalał się i gasł, niebieskie światło zalewało pokój. Skrzypnęły drzwi kuchni, plasnęły gołe stopy na kaflach. Ktoś otworzył lodówkę. Szurnął stołek, rozległo się charakterystyczne ciamkanie. Tak ciamka tylko jedna istota na świecie...

Śni mi się – pomyślałam.

I nagle: ŁUUUP!!! – fiknął stołek, TRZASK!!! – rozległ się brzęk tłuczonego szkła.

– O ŻEŻ TY... TAKA TWOJA SMOCZA MAMUSIA!... ŻEBY CIĘ POKRĘCIŁO, TY KORNISZONIE MARYNOWANY! – zduszony jęk i przekleństwa poderwały na nogi cały dom.

– Kto tam!? – ryknął Tato.

– Kto tam? – pisnęła Mama.

– Kto tam? – usiadł na łóżku Gniewek.

Pierwsza dobiegłam do drzwi kuchni. Zapaliłam światło. W kałuży zalewy octowej ślizgał się Pompon. Wokół warały się resztki słoika i rozciapciane korniszony. Smok próbował wstać, ale pazurki ślizgały mu się na kaflach. W jednej łapie dzierżył pokrywkę słoika, z drugiej nie wypuszczał dorodnego ogóra.

– Pompon! – krzyknął Tata.

– Pompon! – krzyknęła Mama.

– Pompon! – krzyknął Gniewek.

– Owszem, Pompon, no i co z tego? – odpowiedział bezczelnie smok. – To chyba nie powód, żeby tak hałasować po nocy, nieprawdaż? – skarcił nas i ponownie klapnął na pupę. – Mogliście mnie przywitać dyskretniej. Wystarczyłaby skromna wiązanka kwiatów, drobny upominek. Oooo, Sznycel się obudził... ujada!

Rzeczywiście, basowe dudnienie Sznycla rozległo się w całym domu. Jeszcze chwila, a dołączy do niego Pusia.

Tata podniósł smoka za rogowe płytki na grzbiecie i bez słowa zaniósł do wanny. Mama w milczeniu pozbierała kawałki szkła i ogórki na szufelkę, Gniewek starł podłogę mopem. A potem wszyscy wpakowaliśmy się pod kołdrę rodziców.

– Jutro pogadamy – oznajmił Tata i zgasił światło.

– Hellou! – beknął Pompon cichutko w ciemnościach.

Po chwili wszyscy spaliśmy.

– To jest moja dziewczyna – oznajmił Pompon przy śniadaniu, stawiając na stole małą zieloną figurkę. – Nazywa się Pepsikola.

Zapadło krępujące milczenie.

– Hmmm – mruknął Tata. – Z całym szacunkiem, Pompon, ale czy to nie jest raczej figurka dinozaura, którą dorzucają do czteropaku Pepsi?

– Być może – odparł smok z niezmąconym spokojem. – Ale dla mnie jest jedyna na świecie. – Złożył siarczysty pocałunek na plastikowym pyszczku.

– Diplodok – rzucił Gniewek znad jajecznicy. – Ma brata tyranozaura i kuzyna pterodaktyla. Pogratulować rodzinki!

– Nie wiem, o czym mówisz, ale daruj sobie te kąśliwe uwagi – odparował smok. – Marzena Pyrkosz nie umie nawet mnożyć przez osiem, a i tak ręce ci się pocą, kiedy siada koło ciebie na przerwie.

– A wcale że nie! – zaprotestował Gniewek, ale jego uszy w sekundę przybrały kolor barszczu.

– Nie zaprzeczaj, ja teraz znam wszystkie szkolne tajemnice – chełpił się smok. – Jak myślisz, co robiłem

w luku bagażowym waszego autokaru w drodze powrotnej?

– No właśnie, CO? – zapytała Mama.

– Skracałem sobie czas lekturą – odparł Pompon.

– Przeczytałem wszystkie dziewczyńskie pamiętniki.

– WSZYSTKIE?! – uniosłam się na krześle, a ręka mi-
mowolnie sięgnęła po widelec.

– No, powiedzmy... PRAWIE wszystkie – poprawił się
Pompon i odsunął na róg stołu.

– Mój drogi! – powiedziała Mama, a uśmiech zniknął
z jej twarzy. – Czyżbyś nie wiedział, że czytanie cudzych
pamiętników jest ab-so-lut-nie NIEDOPUSZCZALNE?

– A niby skąd mam to wiedzieć? – zdziwił się smok.

– Czy ja chodziłom do szkół? Czy może odebrałom sta-
ranną edukację? Nie! Jestem tylko smokiem, ciemnym
i nieokrzesanym – rozczulił się nad sobą. – Tyle wiem,
co zjem – zakończył obłudnie i połknął skwarek wygrze-
bany z jajecznicy.

– Jak się dostałeś do bagażnika? – zapytał Tata rze-
czowo.

– W bagażu pani Kwaczek. Zdążyłem w ostatniej chwili. Ona ma takie przestronne pudło na kosmetyki...

– A czemu zwlekałeś z tym do samego odjazdu?

– Walduś osaczył mnie w szopce. Ma tam nielegalną
bimbrownię, ukrytą za kompostem. I bardzo jest draźli-

wy na punkcie gości – smok skrzywił się na wspomnienie spotkania z panem Waldkiem. – Przyłapał mnie nocą, zaświecił w oczy latarką, podrapał widłami i zamknął na kłódkę. Nazajutrz zrobiłem podkop. I tyle mnie widział!

– Nie zdziwił się, widząc smoka?

– Walduś nie takie rzeczy widuje po bimbrze!

– A gdzieś był wczoraj, kiedy dojechaliśmy? – zapytał Gniewek z wyrzutem.

– To proste: spałem w plecaku Malwiny. W bagażniku nie ma klimatyzacji, zmęczył mnie ten upał – odpowiedział smok z pyszczkiem pełnym jajecznicy. – Musimy częściej jeździć na wycieczki. Podoba mi się!

– Pytanie brzmi: czy NAM się podoba? – mruknął mój brat znad talerza.

W szkole aż wrzało od plotek i domysłów. Zuzia znalazła w swoim plecaku wieczne pióro Betki, a Gabrysia – skarpety Pakuły (brudne, fuuj!). Kacper nie mógł znaleźć kalendarza, dopóki mu go nie przyniósł z domu Wiesio Palczasty. Agata skarżyła się, że ktoś jej wyjadł z plecaka torebkę M&M-sów i rąbnął plastikowego dinozaura, a Mrówa znalazł w swoim podręczniku do biologii ślady kocich (!!!) łap i nagryzmolony flamastrem emblemat Wisły Kraków. Krzyś awanturował się, że Nieznany Sprawca domalował mu wąsy na zdjęciu w legitymacji szkolnej. Pani Kwaczek też nie była zachwycona – przeprowadziła drobiazgowe śledztwo w sprawie włamania do kuferka i spustoszenia w kosmetykach. Wszyscy zgodnie twierdzili, że ich bagaże były splądrowane i w nieładzie. Słuchałam tych lamentów z kamienną twarzą, układając w głowie listę szkód, które trzeba będzie naprawić. Kacper łypał na mnie uważnie, a na przerwie prawie wypchnął mnie z klasy i pociągnął w kąt koło szatni.

– Czy to JEGO sprawka? – zapytał.

– Niby że... czyja? – udawałam, że nie rozumiem.

– No wieeesz... tego... smoka?

– Co ty, dzieciak? W smoki wierzysz? – zwlekałam z odpowiedzią.

– No bo jeśli nie on, to kto? Kiedy wkładaliśmy bagaże do autokaru, wszystko było w porządku. Te KOCIE łapy... to cię nie zastanawia? Powiedz – znalazł się?

– Nie – mruknęłam, krzyżując palce. Zuzia mówi, że wtedy kłamstwo się nie liczy, ale i tak było mi łyso.

Kacper oklapł i zamyślił się, patrząc w podłogę. Od kiedy mamy Pompona, notorycznie kłamię. Obrzydło mi... Mówienie prawdy jest takie proste, ale kłamstwa... to nie dla mnie.

– Tak bym chciał go zobaczyć – jęknął Kacper. – Że też musiałem wtedy na nim usiąść...

Dzwonek na lekcje wybawił mnie od odpowiedzi.

Po lekcjach poczekałam na Gniewka – mieliśmy dużo spraw do obgadania. W jego klasie też wybuchła afera – teraz już nikt nie miał wątpliwości, że w bagażniku grasował jakiś OBCY. Gniewek robił dobrą minę i głośno naśmiewał się z tych domysłów, ale nie na wiele się to zdało. Mikuś i Palczasty zaczęli nawet opowiadać niestworzone historie o kosmitach.

Dopóki Pompon siedzi w domu – jest bezpieczny. Ale jak długo zechce siedzieć w domu?

S mok nie przejął się wcale rewelacjami o zamieszaniu, jakie spowodował w szkole.

– Macie takie nudne życie... – westchnął. – Potrzeba wam trochę adrenaliny.

Na razie Pompon wygląda na udomowionego i nic nie wróży kłopotów. Po kolacji zasiadł z Mamą na ka-

napie, z pudełkiem chusteczek higienicznych z jednej,
a puszką herbatników z drugiej strony i zaczęli oglądać
nieznośne romansidło. Pompon ściskał w łapce swoją Pepsikolę i raz po raz głaskał ją po plastikowej głowie. Kiedy Meg Ryan spotkała poznanego w sieci Toma
Hanksa – Mama i Pompon smarkali w jedną chustkę ze
wzruszenia. Dookoła walały się okruchy herbatników,
a na ekranie pitoliły anielskie chóry z Hollywood. Tata
popukał się znacząco w głowę i wskazując na zapłaka-
nego Pompona, zapytał retorycznie:

– Czy tak wygląda kibic Wisły?

Dieta smoków jest dla mnie ciągle tajemnicą. Czy to słodkie, czy słone – Pompon zawsze wybiera produkty, które w normalnym, dziesięcioletnim człowieku budzą odrazę. Z upodobaniem wyżera Mamie surowe mięso na kotlety mielone, wylizuje ajerkoniak z kieliszków i symuluje przeziębienie, po czym domaga się guajazylu – wstrętnego syropu na kaszel.

Dziś robiliśmy pizzę. Tata zagniótł ciasto drożdżowe i ulepił z niego pięć zgrabnych krążków. Każdy z nas sam komponuje pizzę – tym razem Pompon również dostał swój krążek ciasta. Mama zwykle robi Margeritę – z ementalera i sosu pomidorowego. Tata woli Trzy Sery, Gniewek dorzuca oliwki, a ja robię Wegetarianę.

Pompon długo marudził w kuchni, grzebiąc w lodówce, wreszcie przepadł na kwadrans, po czym ukradkiem wstawił swoją pizzę do piekarnika jako ostatni.

Dryńńń! – zadzwonił minutnik. Pizza gotowa! Wyjęliśmy kolejno Margeritę, Trzy Sery, Oliwkową i Wegetarianę, a potem Pompon odepchnął nas od piekarnika i triumfalnie wyłożył na talerz swój przysmak.

Pizza smoka pływała w roztopionym smalcu. Na środku, zwinięta w precel, leżała zapieczona rosówka otoczona wianuszkiem much. Zamiast żółtego sera smok użył szarego mydła, a ze sznurowadła ułożył fantazyjny napis „Pompon". Funkcję kropki nad „i" spełniał zielony kapsel „Piwo Lech".

– To dla ozdoby – wyjaśnił, widząc nasze miny. Pizzę posypał obficie granulatem sojowym. Całość zajeżdżała ostro miętą – dałabym głowę, że to krople na żołądek.

– Trochę blada – oświadczył Pompon z dezaprobatą, po czym zrumienił swój obiad strumieniem ognia z pyszczka.

– Esteta! – prychnął Gniewek.
– Eeeee... tego... – odzyskała głos Mama.
– Właśnie! – potwierdził Tata.

– Jesz na balkonie! – wypaliłam bez ogródek, bo właśnie jedna z much poruszyła skrzydełkiem i śniadanie podjechało mi do gardła.

– Okej, okej... – obraził się Pompon, po czym przytulił ociekającą smalcem pizzę do zielonej piersi. – Właśnie rozjechaliście buldożerem moją samoocenę! Mojemu wrażliwemu *ego* wyrządzono szkody nie do naprawienia! Jestem niezrozumianym geniuszem, skazanym na wegetację wśród istot niższego gatunku!!! – monologował w drodze na balkon. – I za co te szykany? Za dwa tuziny much i jedną rosówkę?! Powinniście spróbować – towar świeżutki, przed kwadransem jeszcze bzyczał. Nie to co te wasze pomidory z puszki!

Bez entuzjazmu grzebaliśmy w talerzach, podczas gdy z balkonu dobiegały monotonne skargi smoka. No cóż, w końcu to stworzenie pochodzi z kanalizacji, trudno oczekiwać zbyt wiele...

– Głupio wyszło – powiedziała Mama.

– Na mnie nie liczcie, mam delikatny żołądek – zaprotestowałam, zgadując, co się święci.

– Ale mu tam smutno samemu – oświadczył Tata.

– Fakt – potwierdził Gniewosz.

Po chwili wszyscy tłoczyliśmy się na balkonie, pałaszując pizzę i dyskretnie odwracając wzrok od talerza udobruchanego Pompona.

– **N**arzucić, przeciągnąć... dwa lewe... dwa prawe...
– smok siedział na kanapie pośród motków turkusowej włóczki i długimi drutami szturchał pracowicie niewielką robótkę. Język wywalił na brodę, uszy mu poczerwieniały z wysiłku.

– Jak ci idzie? – zapytał Tata.

– Hmm… Może powinienem był zacząć od szydełka? Przydałaby się jeszcze jedna łapa… Dwa prawe, przekładam…

– Co to będzie?

– Skarpetki dla Mamy na Dzień Matki.

– Ale Dzień Matki jest w maju, a teraz mamy styczeń… – zdziwił się Tata.

– Jestem realistą, nie dam rady szybciej – odparł smok. – Do marca zamierzam zrobić lewą, do maja prawą… Narzucam… przekładam… Uuups! Znowu mi oczko spadło…

– A może zrobiłbyś wieszak na ręczniki albo wazonik z butelki po tymbarku? – podpowiedział Tata, obserwując wysiłki smoka.

– Odpada! My, smoki, lubimy wyzwania. Byle wazonik to każdy głupi umie zrobić! Teorię opanowałem *perfect*, wiem wszystko o dziewiarstwie – Pompon wskazał pazurkiem grubą księgę: *Rękodzieło polskie – kompendium* – … ale nie mam praktyki.

– Skoro tak… – dał się przekonać Tata.

Po godzinie smok wszedł do kuchni i zaczął grzebać w szafkach.

– Czego szukasz? – zapytał Gniewek.

– Nie ma tu jakiejś butelki po tymbarku?

Pani Ujma od polskiego zadała nam do domu temat dowolny. Zuzia napisała o wakacjach u babci w Sopocie. Ja napisałam o bransoletkach z kordonku. A Kacper wszystkich zaskoczył. Napisał referat „Skąd się biorą smoki?". O różnych gadach prehistorycznych, których skamieniałe ślady i kości znajdowano przez setki lat, co dało powód do domysłów na temat istnienia smoków. Napisał też o drapieżnych waranach z Komodo, zwanych smokami, i o innych jaszczurach podobnych do smoków. Wszystko to zilustrował wydrukami z Internetu i rysunkami, które sam zrobił, a które przedstawiały różne prawdopodobne „fasony" smoków. Czytając na głos przed całą klasą, ciągle zerkał na mnie, jakby chciał powiedzieć: „To dla ciebie napisałem". Zrobiło mi się głupio, że tak się ostatnio na niego boczyłam. Kacper jest fajny, bez dwóch zdań.

Po lekcjach wracaliśmy do domu razem, jakby nie było tego tygodnia, kiedyśmy prawie ze sobą nie rozmawiali.

– Pokaż no te rysunki na chwilę – powiedziałam.

Kacper wyjął plik kartek ze szkicami.

– O, ten jest podobny... – wskazałam jeden z nich. – Tylko ogon ma krótszy i łapki trochę inne. No i głowę większą, ale pyszczek identyczny.

– Narysuj, jak to wygląda – poprosił Kacper.

– Prościej będzie, jak sam zobaczysz – odpowiedziałam po chwili wahania.

– A jednak? Znalazł się?! *Yeeess!* – podskoczył w górę z radości. – Zobaczę go? Kiedy? Teraz... zaraz!

– Lepiej wieczorem. Nie wiem, czy chce być oglądany. Jest próżny, ale miewa humory. Nadal ma ci za złe, że na nim usiadłeś.

– Dam mu prezent na przeprosiny. Co lubi?

– Czy ja wiem... Najbardziej chyba... muchy.

– Muchy? – zdziwił się Kacper.

– No wiesz... w celu... konsumpcyjnym.

Kuchnia przypominała pobojowisko. Tata, przepasany fartuchem, obierał ziemniaki, Pompon w tempie ekspresowym ucierał je na tarce. Ziemniaczana breja oblepiała mu łapki po łokcie, z jednego ucha zwisała obierka.

– Placki? – zapytałam.

– Pyzy z dziurką – oznajmił Tata. – Pomożesz przy turlaniu?

– O, nieee! – zaprotestował smok – to nie jest robota dla dziewczyn. Turlanie wymaga wprawy. Ja turlam, ja dziurkuję!

– Ambitny do bólu – mruknęłam i wycofałam się taktownie.

Nakryliśmy z Gniewoszem do obiadu i niebawem na stół wjechały pyzy. Piramida szarych kulek wyglądała imponująco – każdą sztukę Pompon naznaczył głębokim odciskiem smoczej łapki o rozcapierzonych pazurkach. Wyglądało to jak rozgwiazda albo szarotka.

– Matko, jaki ja zdolny jestem! – chwalił się bezwstydnie Pompon, zgarniając na talerz ogromną porcję.

Tym razem nikt nie zaprzeczył.

W połowie obiadu rozległ się dzwonek i w drzwiach stanął Kacper.

– Nie mogłem się doczekać – szepnął i pokazał mi słoik z tuzinem muszych zwłok. – Nie wiedziałem, czy lubi żywe czy zdechłe.

Przy stole zapanowała chwilowa konsternacja. Smok zsunął się z krzesła – tylko czubek głowy wystawał zza półmiska z pyzami. Mama przyniosła dodatkowy talerz i posadziła Kacpra obok mnie.

– Pozwól, że ci przedstawię... – powiedział Tata – to jest Pompon. Smok udomowiony.

Zielona głowa wychynęła zza półmiska i para złośliwych oczek obrzuciła Kacpra ironicznym spojrzeniem.

– Aaaa... Romeo z uszami... my się znamy! – wycedził smok i bezceremonialnie nałożył sobie dokładkę.

Kacper gapił się jak urzeczony, ściskając słoik w garści. Nawet uwagę o uszach pominął milczeniem.

– Przyniosłem moje wypracowanie. Chciałbym zasięgnąć opinii eksperta – powiedział.

Pompon odłożył widelec i zrobił mądrą minę. Och, jak on lubi być nazywany ekspertem! Kacper nie mógł lepiej trafić.

W pośpiechu skończyli jeść i poszli gadać do naszego pokoju. Ja i Gniewek w tym czasie zmywaliśmy naczynia. Po pół godzinie zastaliśmy ich w najlepszej komitywie. Pompon raz po raz sięgał po muchę do słoika, a Kacper objaśniał mu systematykę gadów.

– W zależności od rozmieszczenia otworów skroniowych dzielą się na zauropsydy i synapsydy, czyli ssakokształtne, kapujesz?

Pompon poważnie skinął głową.

– To ja chyba ssakokształtny jestem, nie? – przyłożył swoją zieloną nogę do chudej nogi Kacpra.

– Czy mógłbyś zrobić sobie zdjęcie rentgenowskie? – Kacper prawie podskakiwał z emocji. – Taki dokument byłby bezcenny dla nauki...

– Hola, hola! – wtrącił się Gniewek. – Nie ma mowy!

– Ale... Eeee... Dlaczego?...

– Pomyśl, pomyśl, ośla łąko! – mój brat był brutalny.

– Że niby ktoś go ZOBACZY? – zmartwił się Kacper.

– Otóż to. Zobaczy, zamknie w klatce, może nawet pokroi… – zdenerwował się Gniewek. – W celach NAUKO-WYCH, rzecz jasna!

Smok zbladł i głośno przełknął ślinę.

– O, jejciu! Nie pomyślałem! – przyznał Kacper i obaj z Pomponem posmutnieli. Wizja naukowej kariery oddaliła się nagle.

Plan zdokumentowania smoka upadł. Przez resztę wieczoru Pompon i Kacper tkwili przy komputerze, śledząc forum hodowców gadów. Raz po raz Kacper rzucał fachową uwagę, wyczytaną w encyklopedii, czym zjednał sobie smoka w trymiga.

– No to Pompon ma jednoosobowy fanklub – powiedział Gniewek z urazą i zajął się lekcjami.

– Na to wygląda!

Kacper wpadał do nas niemal codziennie.

– Jest Pompon? – pytał, po czym biegł do naszego pokoju i przybijał piątkę ze smokiem.

Kiedy po raz kolejny zapytał: „Jest Pompon?", Gniewek nie wytrzymał:

– A niby GDZIE miałby być, ciemięgo? Na zakupach? W maglu? Na pielgrzymce?... Zrozum wreszcie, Pompon NIE WYCHODZI. Zbyt wielu jest na świecie wścibskich facetów, którzy chcieliby go opisać w „Fakcie", a potem wypchać i wystawić w gabinecie osobliwości.

– Właśnie o tym myślałem – powiedział Kacper. – To nieludzkie. Smok powinien zobaczyć trochę świata. Mam pomysł!

Wybiegł, a po kwadransie był z powrotem. Dźwigał duży wiklinowy kosz do transportu kotów. W drzwiczkach kosza tkwiła kratka o dużych oczkach.

– To kosz po naszym Milusiu. Zdechł z przejedzenia. Dorwał się do zamrażalnika z morszczukiem – oznajmił Kacper. – Wypróbuj! – podsunął kosz Pomponowi.

Smok gapił się zaintrygowany. Bez protestów wlazł do kosza. Najpierw wpakował się głową naprzód i utknął bezradnie z ogonem na wierzchu. Przy drugiej próbie poszło lepiej – rozsiadł się wygodnie i łypał zza kratki.

– Przydałby się kocyk pod pupę – powiedział – ale nie jest źle.

Chwyciliśmy kosz za rączkę na szczycie i zrobiliśmy kółko po domu.

– Ciężki. Ale jak się będziemy często zmieniać, da się wytrzymać – powiedział Gniewek. – Trzeba tylko uszyć firankę i powiesić od środka, na wypadek gdyby ktoś chciał przyjrzeć się „kotu".

Odpruliśmy falbanę od zasłon w kuchni i po pół godzinie firanka była gotowa.

– No to... idziemy! – oznajmił Kacper.

B ezkolizyjnie obeszliśmy podwórko. Pompon gapił się na wszystko zachłannie, z nosem przylepionym do prętów klatki. Koło śmietnika zażądał postoju, bo leżał tam apetyczny rybi łeb.

– Nic z tego, Pompon, innym razem! – Gniewek był stanowczy i poszliśmy dalej.

Na światłach przecięliśmy ulicę Gagarina, Sielecką doszliśmy do Łazienek. Alejki usłane były żółtymi liśćmi. Dzieciaki z pobliskiego przedszkola grzebały pod drzewami w poszukiwaniu kasztanów. Co raz to któreś podbiegało do nas i chciało zaglądnąć do wnętrza kosza, ale Pompon zaciągnął firankę i wydawał zza niej gniewne fuknięcia.

Minęliśmy Teatr i Pałac na Wodzie i klapnęliśmy na ławce po starą Podchorążówką. Tutaj spacerowicze niemal nie docierali. Kacper postawił kosz na ziemi i uchylił drzwiczki.

– Popatrz sobie chociaż, biedaku! – użalał się nad smokiem.

Podzieliliśmy baton na cztery części – każdy dostał ćwiartkę. Ja i Kacper wzięliśmy się do sudoku, Gniewek czytał „Przegląd Sportowy". Tymczasem Pompon wylazł na paluszkach z kosza i pomknął na brzeg stawu.

Pochylił się nad wodą i sypnął do niej okruchy bato-
na. CHLUUP!!! – usłyszeliśmy plusk i straszną szamo-
taninę. Głowa Pompona raz po raz znikała pod wodą,
a powierzchnia zawrzała od bulgocących bąbli. Złote
królewskie karpie rozpierzchły się na wszystkie strony.
Smok miotał się w wodzie rozpaczliwie.

Kacper bez wahania uwiesił się na witkach wierzby
płaczącej i złapał śliski smoczy ogon. Z grzbietu Pompona zwisały wodorosty, w uszach miał czarny muł.
Trząsł się z zimna i strachu.

– Nie rozumiem – wymamrotał, kiedy trochę ochłonął.
– W wannie szło mi całkiem nieźle.

– Czego ty właściwie chciałeś od tych karpi? – zapytał Gniewosz.

– Chciałem... się zaprzyjaźnić – odpowiedział smok.

– Akurat! – prychnął Gniewek. – Stracisz życie przez tę zachłanność.

– Jestem DRAPIEŻNIKIEM! – odparł smok z godnością.
– Polowanie to mój żywioł. Nie zrobicie ze mnie smoka przytulanki!

– Żebyśmy tylko nie przegapili momentu, kiedy zażądasz barana. Albo dziewicy – odparł Gniewek, pakując Pompona do kosza.

– Pięćdziesiąt osiem centymetrów – oznajmiła Mama, zwijając centymetr krawiecki. – Nadal rośnie.

– Ale jakby wolniej niż do tej pory – zmartwił się smok.
– Nie zagram w filmie *Godzilla powraca*.

– Nie pękaj! Nakręcimy horror *Pompon, postrach much*
– pocieszył go Tata.

– Baaaardzo śmieszne! – obraził się smok i puścił dym nosem.

– Pompon, osmaliłeś abażur! I ja ci chyba muszę kapcie kupić. Strasznie rysujesz parkiet pazurkami – stropiła się Mama.

– Kapcie są w złym guście. My, smoki, nie nosimy kapci – odparł Pompon stanowczo. – Ale pedicure, proszę bardzo! – przerzucił zieloną nogę przez Mamine kolana.

– Może innym razem... – skrzywiła się Mama i poszła oglądać serial.

Do wieczoru rozegraliśmy kilka morderczych partii Farmera, w których smok ograł nas z kretesem. Nawet Kacper, nieformalny doradca, nie zdołał nam pomóc.

– To nielogiczne! – pieklił się Gniewosz. – On wszystko inwestuje w króliki i wygrywa. A przecież ta strategia nigdy nie działa! Miałem fortunę w owieczkach i wszystko przepadło!

– Króliki są smaczne – odpowiedział smok z niewzruszonym spokojem. – A owieczki żylaste. Tylko osioł inwestuje w owieczki.

– Przecież to są WIRTUALNE króliki! I wirtualne owieczki. Kogo obchodzi, czy są smaczne?

– No widzisz, mądralo! Dlatego przegrywasz. Na plaster ci ta logika – smok spojrzał na Gniewka wyniośle z wysokości swoich pięćdziesięciu ośmiu centymetrów.

W niedzielę zapakowaliśmy Pompona do kosza i pojechaliśmy do zoo. Kacper nie mógł, rzecz jasna, przegapić takiej okazji. Nikt nie wie tyle o zwierzętach co on.

Przy pingwinach Pompon ostentacyjnie ziewał, białym niedźwiedziom pokazał jęzor, ożywił się przy małpach, ale na krótko.

– Chcę do pawilonu gadów! – nudził i ciągle wiercił się w koszu.

Przy krokodylach zakotwiczył na pół godziny, aż zwiedzający zaczęli psykać na Tatę, który kosz z Pomponem trzymał tuż przy szybie.

– Oto jedyny gatunek zwierząt, który pamięta dinozaury – mądrzył się Kacper. – Krokodyl przetrwał w postaci niemal niezmienionej od paleolitu.

– Czyż nie jest piękny? – wzdychał Pompon z głębi kosza. – Te łapki... ten ogonek...

– Te ZĄBKI! – dorzucił Gniewosz z przekąsem.

Gekony i warany zajęły nam kolejną godzinę. Pompon przywarł nosem do szyby, pukał w nią, stroił miny i zaczepiał jaszczury, ale bez rezultatu.

– Dlaczego one mnie ignorują? Przecież jesteśmy rodziną – utyskiwał, kiedy kolejny kuzyn odwrócił się do niego ogonem. – Zróbcie mi zdjęcie z tym legwanem! Wkleję sobie do albumu.

Zrobienie zdjęcia wymagało nie lada zręczności. Wyczekaliśmy moment, kiedy sala opustoszała, Mama szybko wyjęła Pompona z kosza i...

– Zacięła się migawka. Jeszcze chwila! – nakazał Tata i zaczął grzebać w aparacie.

W tym momencie do sali wszedł Opiekun Gadów i zanim Mama zdołała upchnąć smoka do kosza, dostrzegł dziwne zwierzę.

– Przepraszam! – krzyknął do nas przez całą szerokość sali. – Czy można na słówko?

Mama udała, że nie słyszy, i w kilku susach już była przy drzwiach. My za nią. Tata uśmiechnął się szeroko do pracownika zoo, ale ten zignorował go i pobiegł za Mamą.

– Proszę pani! Proszę pani! Co to za okaz? Czy to tuatara? Ja muszę ją zobaczyć!

Mama stanęła jak wryta, okulary zsunęły jej się z nosa. Ściskała kosz, aż zbielały jej palce.

– To nie jest żadna tuatara, tylko nasz kot Miluś – oświadczył Kacper i szturchnął kosz.

– Miauuu! – miauknął Pompon zza firanki, aż zadrżały pręty klatki. – Miauuu! – powtórzył dla lepszego efektu.

Pracownik zoo osłupiał. Ręka wyciągnięta w kierunku kosza znieruchomiała.

– Kici, kici, Miluś, grzeczny kotek... – powiedziała Mama. – Pan wybaczy, jesteśmy spóźnieni... – truchtem ruszyła do wyjścia.

Nie uszliśmy jeszcze trzech kroków, kiedy z klatki rozległo się potężne beknięcie:

– Hellou! – A chwilę potem: – O, *pardon*, niechcący! – Pompon przeprosił po raz pierwszy w życiu i zupełnie nie w porę.

S iedzieliśmy w komplecie przed telewizorem, bo właśnie zaczynał się program z udziałem posiadaczy dziwnych zwierząt.

– Też mi dziwne zwierzę... szczur! – irytował się Pompon. – Liczba szczurów na świecie przekracza liczbę ludzi.

– Ale ten jest biały. I potrafi aportować! – broniła szczura Mama.

– Dla mnie to on mógłby grać na mandolinie, a i tak pozostanie głupim gryzoniem – mądrzył się smok.

– Popatrz, jak ten pyton na niego patrzy! Mało klatki nie rozniesie – emocjonował się Kacper. – Swoją drogą, to niesmaczne... zapraszać do studia węża i jego ulubiony pokarm.

– A szczurek spękany, robi w spodnie ze strachu – śmiał się smok.
– Pompon, jeszcze jedna taka uwaga, a pójdziesz do swojego pokoju! – zdenerwował się Tato.
– To on ma SWÓJ pokój? Myślałem, że to NASZ pokój – żachnął się mój brat.

– Popatrz, tchórzofretka! Jaka słodka! – rozczuliła się Mama.

– Nooo, kupmy sobie taką – zgodził się smok. – Zrobimy z niej kołnierzyk do jesionki Malwiny.

– Pompon!!! – ryknęła cała rodzina zgodnie.

– No co, no co... Mam po prostu zmysł praktyczny.

W milczeniu obejrzeliśmy rodzinę jeży i jej opiekunów, a także łysego pieska z Meksyku. Przy tarantuli smok się ożywił.

– Tarantula... zdrobniale tara. Chciałbym mieć taką małomówną koleżankę. Podobno jad tarantuli załatwia kota na miejscu – rozmarzył się Pompon.

– Pompon, wyluzuj! – poradził mu Tato. – *Make love not war!*[2]

– Skąd ten agresor w naszej rodzinie? – głośno zastanawiała się Mama. – Przecież jesteśmy pacyfistami.

– Spadek po przodkach. Wdruk genetyczny – podsumował Kacper. – Pompon jest urodzonym wojownikiem, ewolucja o to zadbała.

– Jestem urodzonym wojownikiem! – powtórzył jak echo smok. – Reszta ciasteczek moja! – zagarnął talerz pod pachę.

– A może wymienimy go na dwie tchórzofretki? – zapytała Mama.

---

[2] Czyńcie miłość, nie wojnę!

Gniewek, Kacper i Pompon grali w garibaldkę na dywanie w naszym pokoju. Wynik był przesądzony: Pompon zawsze wygrywa, co okropnie irytuje chłopaków.

– Kantujesz! – wściekał się Kacper. – To sprzeczne z rachunkiem prawdopodobieństwa! Nawet najlepsi czasem przegrywają.

– Co ja poradzę, kolego, że jestem taki inteligentny – chełpił się smok. – Macie w plecy czternaście punktów.

Wszystkie żelki moje! – zainkasował wygraną i połknął ją łapczywie.

– Ooo, Marzena Pyrkosz – oznajmił Kacper, spoglądając przez okno balkonowe. – Z Pakułą!

Gniewek dopadł okna i posmutniał nagle. Taktownie wyszłam i zajęłam strategiczną pozycję pod drzwiami.

– Nie pękaj, stary! – pocieszał go Pompon. – Wcale nie jest taka fajna. Te włosy... takie puszyste... fuuuj!

– Co ty tam wiesz... – żachnął się Gniewek.

– Przecież Pakuła to mięśniak, mózg ma jak orzeszek – dziwił się Kacper.

– Oooo, przepraszam... Nie ilość, a jakość! – zaprotestował Pompon i postukał kłykciem w swój nieduży łepek.

– Dziewczyny! – prychnął mój brat z urazą. – Akurat mi na nich zależy!

– Zależy, zależy – mruknął Pompon na stronie i wyjął spod poduszki swoją Pepsikolę. – Patrz i ucz się, małolat! – podsunął Gniewkowi pod nos swoją sympatię. – Dziewczyna musi być... Po pierwsze – silna!...

Gniewek machnął ręką na natrętnego smoka.

– Po drugie – ZIELONA! – wyliczał dalej Pompon.

– A po trzecie, zębata – dokończył Kacper z przekąsem. – Zlituj się, Pompon, twoje najładniejsze koleżanki mieszkają w zoo!

– Wiem wszystko o dziewczynach, mądralo, czytam ich blogi – obraził się smok. – Musisz popracować nad muskulaturą i dawać jej ładne prezenty...

– Muchy, rosówki... – uśmiał się Kacper.

– ... I napisz dla niej wiersz! – dokończył smok.

Gniewek wyśmiał dobre rady Pompona, ale wieczorem podciągał się na drążku jak szalony i do późna gryzmolił coś w notesie.

– Jaki będzie rym do „rzęsy"? – zapytał mnie znienacka.

– „Kredensy".

– Eeee, co ty tam wiesz... – zniechęcił się mój brat.

Nazajutrz zabraliśmy kosz z Pomponem na Wołowe Łączki za kościołem. Przy stołach do ping-ponga było tłoczno, ale dalej tylko kaczki rozsiadły się nad stawem. Przepytywaliśmy właśnie Kacpra z wiersza na jutro, kiedy z krzaków wyszedł wprost na nas punk z irokezem na głowie.

– No, sraluchy, wywracacie kieszenie! – powiedział.

– Zbiórka dla wujka na piwo.

– Nie mamy – pisnął Kacper.

– Nie mamy – potwierdziliśmy zgodnie.

– Lepiej, żebyście mieli! – punk złapał Gniewka za kołnierz.

Wyjęliśmy całą zawartość kieszeni – skasowany bilet, spinacz, kapsel od tymbarka z napisem „twój szczęśliwy dzień!", gumkę recepturkę, skuwkę od długopisu i... pięćdziesiąt groszy.

Punk się zdenerwował.

– Kurdupel i Uszaty zostają... – wskazał na chłopców – ... a paniusia leci w dyrdy do matki i za dwie zdrowaśki wraca z kasą. A jak puści farbę, to gorzko pożałuje. Zrozumiałaś, szczeniaro?

– Uhmm – skinęłam głową, myśląc gorączkowo, co robić.

Z kosza rozległ się „koci" pomruk.

– Co my tu mamy? – zainteresował się punk. – Koootek? Rasowy może? – otworzył skobel i bezceremonialnie „wysypał" Pompona na trawę.

Nie zdążył jednak przyjrzeć się zawartości kosza, bo Pompon w ułamku sekundy wspiął się po nogawce na ramiona „wujka", objął mu głowę od tyłu, zakrywając oczy łapami, i bluznął ogniem wprost na irokeza. Oślepiony punk rzucał się bezładnie, próbując uwolnić się od napastnika, ale pazurki trzymały mocno, a z włosów na głowie uniósł się słup dymu.

– W nogi! – dał hasło Kacper, podstawił nogę punkowi i rzuciliśmy się do ucieczki. Pompon zeskoczył zgrabnie na trawę i sadził wielkimi susami, wyprzedzając nas o kilka długości. Wrzaski „wujka" ucichły. Za zakrętem zwolniliśmy, zapakowaliśmy Pompona do kosza i spokojnie pomaszerowaliśmy do domu.

– Jak to było w *Shreku*? – śmiał się Kacper. – „Mam smoka i nie zawaham się go użyć"?

– Pomyślcie lepiej o gratyfikacji – Pompon wystawił głowę z kosza.

– Gra... co?

– Gratyfikacja... – powtórzył. – Smocza premia, skromny dowód wdzięczności. Myślę, że pudełko rosówek byłoby w sam raz.

– Żądaj, czego chcesz, mój ty bohaterze! – pocałowałam smoka w zielone policzki.

Tato, czy ty piszesz blog? – zapytał Gniewek pewnego sobotniego ranka.

– Masz na myśli pamiętnik w Internecie? Nieee – odpowiedział Tato.

– No to dlaczego gratulują ci wygranej w konkursie na blog?

W łóżku Pompona coś się zakotłowało.

– Pokaż, o czym ty mówisz? – Tata pochylił się nad komputerem i przeczytał list mailowy: – *Szanowny Panie, Pański zabawny blog wygrał w konkursie „Poznajmy się", sponsorowanym przez producenta sprzętu komputerowego „NET". Jury jednogłośnie przyznało mu pierwsze miejsce. Zapraszamy na uroczyste wręczenie nagrody, połączone z bankietem w salonach recepcyjnych hotelu Warriott. Oczekujemy Pana w dniu...*

o godzinie... wraz z osobą towarzyszącą. Stroje wieczorowe obowiązkowe.

– Bankiet, fiu, fiu! – pozazdrościł Gniewosz.

– A może to TWÓJ blog? Adres mamy wspólny – zastanawiał się Tato.

– W żyyyciu... Ja nie piszę bloga – zaprzeczył Gniewek.

– Trzeba im odpisać, że to nieporozumienie i że trafili pod zły adres – zakończył sprawę Tata i poszedł się golić.

Gniewek siadł do komputera.

– Pssst! Psst! – psyknął Pompon spod kołdry. – Nie spiesz się z tym odpisywaniem.

– Dlaczego? – zdziwił się Gniewosz.

– Może coś wiem o tym blogu.

– MOŻE coś wiesz? – zapytaliśmy chórem.

– Eeee... pewien mój znajomy pisał blog pod pseudonimem „Dragon"... – mamrotał smok.

– No i...? – Gniewek wyjął smoka z łóżka i postawił na podłodze.

– A ponieważ pisał go na NASZYM komputerze... – plótł smok.

– ... Ten znajomy? – upewnił się mój brat.

– No właśnie... To chyba ON wygrał, no nie?

– Pompon, spójrz mi w oczy! – powiedział Gniewosz.

Smok zrobił przeraźliwego zeza i umknął wzrokiem w bok.

– Mów prawdę, żywa skamielino!

– O kej, o kej! No więc to ja jestem „Dragon" – wypalił smok.

– Też mi rewelacja! – prychnął Gniewek.

– I ja piszę bloga. Jakiś czas temu zapytali w sieci wszystkich blogowiczów, czy chcą brać udział w konkursie. No to kliknąłem „TAK". I proszę!

– A to ci niespodzianka!

– Ale, ale... jest pewien problem... – smok ściszył głos do szeptu.

– Taaak?

– Nie zaglądajcie do tego bloga. Jest zbyt... osobisty.

– OSOBISTY? – spojrzeliśmy po sobie. – Ogólnie dostępny pamiętnik, zawieszony w Internecie, odwiedzany przez setki użytkowników sieci, zbyt osobisty?!

– ... A już w żadnym wypadku nie pozwólcie zaglądać rodzicom, bardzo proszę – szeptał smok, oglądając się na drzwi.

– Pompon, to nie *fair*! – zaprotestowaliśmy oboje. – Nie możesz tego od nas żądać. Sam byś nie dotrzymał takiego warunku.

– No to idę się pakować! Zamieszkam na wysypisku – smok pociągnął nosem raz i drugi, jak to miał w zwyczaju, ilekroć chciał coś utargować.

W ymiana maili z organizatorami konkursu trwała tydzień. Kolejny tydzień – przygotowania, w sekrecie przed rodzicami. Pocztą nadeszło oficjalne zaproszenie na czerpanym papierze. W dniu rozdania nagród Kacper udzielił nam alibi, opowiadając bajeczkę o kinderbalu, na który zostaliśmy zaproszeni. Tramwajem pojechaliśmy do Warriotta. Trzy razy sprawdzano nasze zaproszenie, na koniec weszliśmy do sali bankietowej. Wtedy Gniewek wyjął komórkę i wysłał rodzicom esemesa: „Włączcie telewizor".

Najpierw śpiewała piosenkarka Morella – nieźle, bo z *playbacku*, a potem na scenę wbiegł Pan Kleks. Był bez brody i piegów, ale od razu go poznaliśmy. Opowiedział dwa dowcipy i zabrał się do wręczania wyróżnień. Na scenę wchodziły starsze panie, piszące blogi pod pseudonimem „Kociak" albo „Britney S.", a nawet policjant z drogówki – „Tomcio Paluch". Potem były nagrody – trzecia i druga.

I wreszcie!!!

Rozległy się fanfary i Pan Kleks ryknął do mikrofonu:

– A oto największa niespodzianka konkursu: fenomenalne dziecko, mały geniusz klawiatury, ukrywający się pod *nickiem* „Dragon", niespełna dwunastoletni Gniewosz Fiś!!!

Z emocji zaczęło mi burczeć w brzuchu. Rozległy się oklaski i Gniewek – lekko pozieleniały i na ugiętych nogach – wszedł na scenę. Przez salę przeszedł pomruk niedowierzania. Gniewek wtarabanił się na podium z wiklinowym koszem. Długie nogi wystawały mu z nogawek komunijnego garniturku. Dzielnie pomachał do kamery i wyszczerzył zęby do Pana Kleksa.

– Twój zabawny blog jest literacką fikcją. Napisałeś go z punktu widzenia... smoka, który przypadkiem trafił do zwyczajnej, polskiej rodziny. Stąd pseudonim „Dragon". Jesteśmy pod wrażeniem twojej żywej wyobraźni i niezwykle dojrzałego języka. Skąd ten oryginalny pomysł? – Pan Kleks podsunął mikrofon pod nos Gniewka.

– Na początek chciałbym wygłosić krótkie oświadczenie – powiedział mój brat.

Pan Kleks nagle spoważniał i łypnął na ekipę telewizyjną.

Gniewek poprawił krawat, pożyczony (bez pytania) od Taty, głośno przełknął ślinę i wypalił:

– Po pierwsze, nigdy w życiu nie pisałem bloga.

Sala zawrzała. Wszyscy zaczęli wiercić się i szemrać.

– Po drugie, tekst nie jest fikcją. „Dragon" istnieje.

Prowadzący uśmiechnął się, jakby go prąd kopnął.

– Czy ja dobrze rozumiem? – zapytał. – Chcesz powiedzieć... że mały zielony smok wyszedł któregoś dnia z odpływu umywalki, po czym przez blisko rok prowadził dziennik internetowy, który jury właśnie nagrodziło?

– Dokładnie to chciałem powiedzieć – ucieszył się Gniewek.

– Mój chłopcze, nadużyłeś naszego zaufania. Obawiam się, że musisz wracać do rodziców – powiedział
Pan Kleks i popchnął Gniewosza w kierunku schodków.
– Drodzy państwo! Po raz pierwszy w historii naszego
konkursu mamy tu przykry incydent. Zaszło nieporozumienie. Tym samym pierwsza nagroda nie zostanie
przyznana.

W tym momencie w koszu trzymanym przez Gniewka
zakotłowało się gwałtownie, odskoczył skobelek, fru-
nęła firanka, a z drzwiczek wyprysnął wściekły Pompon. Z nosa szedł mu dym, ogon poruszał się rytmicz-
nie, a to oznacza, że żarty się skończyły.

– Nieporozumienie?! – ryknął. – Nieporozumienie? Dawać mi tu moją nagrodę, ale już!!

Gniewek starał się smoka udobruchać, ale Pompon strącił jego rękę z ramienia, przyskoczył do Pana Kleksa i dziubnął go pazurkiem w brzuch.

– Słuchaj, kolego! „Dragon" to JA! Wygrałem konkurs i nie wyjdę stąd bez mojej nagrody. Czy wyrażam się jasno?

Na sali zapanowało poruszenie, goście wstawali od stolików i tłoczyli się przy scenie, żeby z bliska zobaczyć smoka. Pan Kleks zamarł z krzywym uśmieszkiem przylepionym do twarzy.

– Musieliśmy użyć podstępu – wyjaśnił Gniewek. – Czy zaprosilibyście nas, gdybym ujawnił wcześniej, że autorem bloga jest SMOK!? Malwina, powiedz, czy ja kłamię?

Wszystkie oczy zwróciły się na mnie, kamerzysta wycelował mi w nos obiektywem.

– Gniewosz ma rację. Pompon mieszka u nas od przeszło roku, pisał blog na naszym komputerze, w sekrecie. Opisał nas – Mamę, Tatę, mnie i brata. Trochę pozmyślał, trochę przesadził, ale to nasza rodzina.

– To jego blog i nagroda należy mu się jak psu buda – potwierdził mój brat.

– Jaka buda? Miał być laptop! – fuknął Pompon urażony.

– A zatem, drodzy państwo – Pan Kleks odzyskał głos
– pozostaje nam tylko ostatnia formalność: upewnić
się, że nie mamy do czynienia z mistyfikacją. Pozwolę
sobie przeprowadzić test wiarygodności naszego goś-
cia, aby przekonać widzów przed telewizorami, że to
nie sztuczka, ha, ha! – tu Pan Kleks uszczypnął Pompona mocno w ramię.

– Uuuaaauć! – Zaskoczony smok cofnął się gwałtownie, pociągając za sobą kabel od mikrofonu. Kabel pod-
ciął nogi Pana Kleksa i na oczach całej widowni prowadzący runął jak długi wprost pod nogi smoka.

– Mucha się panu przekrzywiła – powiedział Pompon
i wyjął mikrofon z rąk leżącego. – A zatem, drodzy państwo – smok kontynuował bezczelnie – test się powiódł,
to nie inscenizacja, jedziemy na żywo! Przechodzimy
do najważniejszego punktu programu: wręczenie tro-
feum zwycięzcy! Pozdrawiam Mamę i Tatę przed telewizorem! Oklaski!

Oklaski zagłuszyły reprymendę, jakiej szeptem udzielił Pomponowi Gniewosz.

Po chwili fanfary rozległy się ponownie, Pan Kleks zniknął, a na scenie pojawili się dwaj panowie z dużym pudłem. Pompon odebrał swoją nagrodę – superlaptop z hiperoprogramowaniem i szybkim łączem internetowym. Widzowie zgotowali mu owację na stojąco.

– Na tym kończymy część oficjalną uroczystości, zapraszamy na poczęstunek! – powiedziała ładna panienka.

– A macie słoninę? – zapytał smok.

Mama i Tato przyjechali po nas tuż po zakończeniu transmisji. Z trudem utorowali sobie drogę przez tłum ciekawskich, którzy obstąpili Pompona. Dość bezceremonialnie wyprowadzili nas z hotelu i wsadzili do auta.

– Za chwilę pojawią się dziennikarze. Trzeba czmychnąć, póki nas nie namierzyli – wyjaśniła Mama.

– I co w tym złego? Należy mi się chyba odrobina sławy? – protestował Pompon.

– Jeszcze ci ta sława wyjdzie bokiem – wykrakał Tata.

I rzeczywiście. Kiedy dojechaliśmy pod dom – połowa sąsiadów tkwiła w oknach, a druga połowa zgromadziła się pod blokiem. Upchnęliśmy Pompona do kosza i truchtem zmierzaliśmy do naszej klatki.

– Pani Fisiowa – natarła na nas dozorczyni – pani te kreature w domu trzymała? A zezwolenie od ADM-u? A opłata za zużycie wody?

– Czy on aby szczepiony? – dopytywała się pani Wawrzynek, wysoko unosząc Pusię w ramionach.

– Teraz przynajmniej jasne, dlaczego Sznycel taki nerwowy – oznajmił pan Wójcik, skracając smycz swojemu pupilowi.

Ajent z warzywniaka wycelował w nas obiektyw swojej zorki.

– Uśmiech dla prasy! – krzyknął nam tuż nad uchem. Na szczęście, przed klatką czekali też Kacper i Zuzia. Z nimi było nam raźniej. Przemknęliśmy do mieszkania galopem, pomimo protestów smoka, który chciał rozdawać autografy.

W domu rodzice wyściskali Pompona, gratulując mu nagrody. Smok miał minę winowajcy.

– Nie spieszcie się z gratulacjami, dopóki nie przeczytacie bloga – roześmiał się Gniewek.

Rodzice zajęli się kolacją, a my do późna gadaliśmy z Kacprem i Zuzią. Pompon puszył się przed Zuzią i strugał gwiazdora, aleśmy go trochę obśmiali i dał spokój.

– „**P**oczciwa kobiecina"! To o mnie! – jęknęła Mama.

– O mnie napisał „przystojny inaczej" – zaśmiał się Tato.

– Patrzcie go... Książę Pan zamieszkał wśród ciemnego gminu. – Mama była wzburzona. – Ani słowa o bekaniu, brzydkich wyrazach i siusianiu do pelargonii!

– Niby gdzie miałem siusiać? – krzyknął Pompon z drugiego pokoju, gdzie właśnie z Kacprem i Gniewkiem instalowali nowego laptopa.

– Naśmiewasz się z moich talentów kulinarnych, zielona paskudo! – odkrzyknęła mu Mama z wyrzutem.

– Nazwałeś mnie *Trucicielką z Mokotowa*. O, proszę:

*Wśród smoków jej kuchnia mogłaby uchodzić za ludz-
ką, wśród ludzi – za smoczą –* Mama wodziła nosem
po ekranie komputera. – Nie licz na obiad. Od dziś go-
tujesz sobie sam!

– Ale nas lubi... To się czuje – wzięłam Pompona szeptem w obronę.

– O, patrzcie.... chwali się, że za pomocą pilniczka do
paznokci NAPRAWIŁ pralkę, podczas gdy naprawdę
ją zepsuł, grzebiąc pilnikiem w termostacie! Wymia-
na kosztowała stówę! – pokręcił głową ze zdumienia
Tato.

– A ta opowieść, jak dźwignął jedną łapką tapczan, żeby wyjąć spod niego korniszona? Plecie jak baron Münchhausen! – Mama była bezlitosna.

– To jest *licentia poetica* – smok stanął w drzwiach naburmuszony. – Ignoranci!
– *Licentia* smencja! – ucięła Mama. – Całe miasto wzięło nas na języki.
Pompon wzruszył ramionami.
– Dzięki mnie przeszliście do historii literatury. Jesienią blog wyjdzie drukiem.
– Kto tak powiedział? – zaniepokoiła się Mama.
– Na tym polega część nagrody. Chyba wstąpię do Związku Literatów! Tylko te składki członkowskie... Może smokom dają rabat?

Tata rzucił na stół plik korespondencji.
– Liga Ochrony Przyrody chce nam postawić zarzut nieumiejętnej opieki nad rzadkim egzemplarzem fauny! – przeczytał pierwszy list. – No, pięknie!... do kosza... Prośba o smoczą łuskę... do kosza... Burmistrz Milicza zaprasza. Oni mają smoka w herbie... Reporter tygodnika „Kwak" prosi o wywiad... Pocztówki od fanek... z serduszkiem... z kotkiem...
– Z kotkiem?! – ucieszył się smok obleśnie.
– Reszta listów też do Pompona... A dla nas tylko rachunek za gaz i mandat za jazdę bez biletu. Ech!

— **I**le jeszcze potrwa ta sesja? – Gniewosz miał dość siedzenia pod drzwiami studia, gdzie fotografowano Pompona.

– Jeszcze tylko zdjęcia w stroju ludowym – Mama spojrzała na zegarek. – Godzinka, nie więcej.

– Kim są ci ludzie? – Tato wskazał tłum za szklanymi drzwiami.

– Fani Pompona. Czekają na autografy.

– No, to następna godzina... Jestem głooodny! – jęknął Tata.

Od czasu występu w telewizji spędzamy mnóstwo czasu na wożeniu smoka z wywiadu na wywiad, z sesji na sesję. Telefon dzwoni bez przerwy. Pompon jest próżny i nikomu nie odmawia. Rodzice mają dość.

Właśnie Pompon wychynął ze studia, ubrany w strój góralski, z malutką ciupagą.

– Nos mi się świeci, nie macie pudru? – zapytał.

– W kolorze ZIELONYM? – zdziwiła się Mama.

– *Sorry*, Pompon, ale wyglądasz jak pajac – wygarnął mu brat.

– Myślisz?... Może trzeba było wybrać strój krakowski! – głośno zastanawiał się smok. – Portki dali za duże, spadają.

– Pompon, kończ ten cyrk raz-dwa i do domu! – pogoniła go Mama. – Na obiad są kopytka.

Pod drzwiami czekał na nas zmarznięty Opiekun Gadów z zoo. Dozorczyni ulitowała się nad nim – wyniosła krzesełko na klatkę i zrobiła herbaty.

Na widok smoka ucieszył się jak dziecko.

Zasypał Pompona gradem pytań, notując pilnie w notesiku. Bardzo sobie przypadli do gustu. Facet nazywa się Kazimierz Rąbek, pisze doktorat o gadach polskich.

– No, wiecie państwo... traszki... salamandry... Ale żadna nie umywa się do smoka. O ile wiem, Pompon to jedyny taki osobnik na świecie.

Pompon posmutniał. Ciągle miał nadzieję, że któregoś dnia spotka miłą, gospodarną smoczycę i razem dadzą początek dynastii smoków polskich.

– Czy to pewne? – zapytał.

– Hmmm... – zawahał się Rąbek. – Nauka nie zna innych przypadków. Ale kto wie...

Przy zupie umówili się, że Pompon będzie częstym gościem w pawilonie gadów, a przy deserze smok zobowiązał się służyć pomocą panu Rąbkowi przy pisaniu doktoratu. Kacper, który wpadł „na minutkę", chłonął każde słowo. Podjął się regularnie wozić smoka do zoo jeśli wolno mu będzie przysłuchiwać się rozmowom „ekspertów".

No i mamy tu smoczą mafię.

Pompon znowu urósł i trzeba było zamówić nowy wiklinowy kosz na przejażdżki po mieście. Smok chciał podróżować jawnie, ale po kilku próbach okazało się, że wzbudza sensację, z którą trudno sobie poradzić. Pytania i zaczepki szybko nam obrzydły. Stał się sławny jak Beckham (i tak samo próżny). Trzy razy w tygodniu poleruje swoje łuski flanelową szmatką, a zęby szoruje skrzatem po każdym posiłku. Przestał nawet ciamkać przy jedzeniu. Jeszcze trochę, a gotów kandydować do Sejmu.

– Smoki też powinny mieć swoją reprezentację w Sejmie! – wypalił któregoś dnia podczas oglądania „Faktów".

– KTÓRE smoki masz na myśli? – zapytała Mama.

– Jestem jednoosobową mniejszością gatunkową, ale to nie pozbawia mnie praw obywatelskich.

– Problem w tym, że nikt nie wie, czy jesteś już pełnoletni – przypomniał Tato.

– Maturę zdałbym z palcem w nosie – chełpił się Pompon – a z biologii to nikt mi nie podskoczy.

– Byłbyś pierwszym na świecie posłem, który śpi w łóżeczku ze szczebelkami – uśmiał się Gniewek.

– Czy w restauracji sejmowej mają MUCHY? – rzucił od niechcenia Tata.

– A jaki masz program wyborczy? – zapytała Mama.

– Ulga podatkowa dla każdego obywatela, który ma ogon (tak zwane ogonkowe)... – wypalił Pompon – ... nisko oprocentowane kredyty na zakup smoczej jamy, narodowy program zrównania szans edukacyjnych smoków i rosówki za darmochę.

– Z takim programem masz wygraną w kieszeni – zaśmiał się Gniewosz. – Rzecz jasna, dopóki ROSÓWKI nie wejdą do Sejmu – dodał szeptem.

– Na początek powinienem mieć buty. I teczkę – upierał się smok.

– Pompon, a może byś tak zaczął od majtek? – trzeźwo zauważyła Mama. – A co do butów, to chętnie zrobię ci bamboszki na szydełku.

– BAMBOSZKI!? Poseł w BAMBOSZKACH!!!? – oburzył się smok. – Nie mam do was siły! Banda ignorantów! – zeskoczył z kanapy i wymaszerował do kuchni. Po chwili usłyszeliśmy charakterystyczny „klik", kiedy odkręcał słój z korniszonami.

Pompon zarabia kasę, wyprowadzając Pusię pani Wawrzynek na spacery. Nasza sąsiadka strasznie polubiła Pompona – gotuje mu rosołki i zbiera wycinki prasowe o smokach.

– Pani Wawrzynek jest w porzo! – melduje smok. – Ale ta Pusia to najgłupszy pies na świecie. Wczoraj wytarzała się w kretowisku. Co gorsza, szczeka durna na Sznycla. A jak ją namawiałem, żebyśmy pogonili kota kotom, to nie chciała, głupia. Złośliwie nie robi siusiu, dopóki nie obejdziemy podwórka trzy razy. Mówię jej: „Kucaj Puśka, bo mecz leci w telewizji", a ta patrzy tylko na mnie tymi wyłupiastymi oczkami!

– A jak tam pani dozorczyni? – zapytała Mama.
– Spoko. Od kiedy opaliłem jej szafki kuchenne ze starej farby, jesteśmy kumplami. Powiedziała panu Wójcikowi, że teraz, kiedy wyprowadzam Pusię, musi kupić Sznyclowi kaganiec.
– Ile masz w skarbonce? – pyta Gniewek.
– Czterdzieści dwa złote. Do kupna minimorrisa brakuje mi jeszcze trzydziestu tysięcy sześciuset dwudziestu ośmiu złotych.

Zuzia i Kacper wpadają codziennie po szkole. Cała nasza czwórka – Ja, Gniewek, Zuzia i Kacper – ma szóstki z biologii. Dzięki Pomponowi. Zabieramy go do Łazienek, a on nam robi lekcję poglądową. Wie, gdzie mieszkają pawie i wiewiórki, i bez pudła odróżni norkę mysią od kreciej.

– Ta wiewiórka to przybłęda, z Agrycoli – mówi, wskazując na wyjątkowo chude zwierzątko. – Tutejsze, łazienkowskie, ją przeganiają. Ale ona sobie radzi, szwenda się koło kawiarni Trou Madame i kradnie wafelki od lodów. Poznaję ją po tym wyłysiałym ogonku. Wiewiórki to gryzonie, *scirus vulgaris,* żywią się nasionami, grzybami, ale także owadami, mniam! Jadają też jaja ptasie, a nawet pisklęta.

– Bleee! – skrzywiliśmy się z obrzydzeniem.

– A tu żeruje szczur, *rattus norvegicus* – wskazuje krzaki koło mostku. – Ma tu pod dostatkiem pożywienia, bo turyści sypią chleb kaczkom i zawsze coś mu skapnie. Szczury to spryciarze, dobrze pływają. Potrafią nawet upolować małą rybkę. Samica rodzi młode nawet siedem razy w roku, do dwudziestu dwóch sztuk w jednym miocie.

– Jejciu! Przeszło setka szczurków rocznie – nie może nadziwić się Gniewek. – Samica żyje do czterech lat... czyli ma... około czterystu dzieci. Pompon, ty chyba w kulki lecisz, chłopie!

– Jakby tak mieć trzysta dziewięćdziesiąt osiem sztuk rodzeństwa... – policzył Kacper. – Wyobrażasz sobie tę kolejkę rano do łazienki?

Dziś przy śniadaniu Tata oświadczył:
– Jedziemy na weekend do Krakowa. Zwiedzimy Wawel i Wieliczkę.

Pompon, podniecony, przeczytał wszystko, co o Krakowie napisano w Internecie, i teraz zamęcza nas, trąbiąc hejnał na plastikowym lejku. Od pawi w Łazienkach wysępił pawie pióra i domaga się uszycia mu czapki krakowskiej. Nauczył się nawet piosenki *Krakowiaczek jeden miał koników siedem*. Śpiewa ją podczas spacerów z Pusią, bo w domu Mama wywiesiła na lodówce kartkę – ZAKAZ ŚPIEWANIA PIOSENKI O KRAKOWIACZKU!!! Od kiedy Pompon jest wokalistą, Pusia kuca pod pierwszym z brzegu drzewem i pędem wraca do domu. Może i głupi pies ta Pusia, ale zna się na muzyce.

Ledwo pociąg ruszył ze stacji, już Pompon zaczął pytać: daleko jeszcze? I tak przez całą drogę.

Wykupiliśmy mu bilet szkolny. Bardzo go to zirytowało.

– Mam już sześćdziesiąt sześć centymetrów wzrostu i ani jednego mlecznego zęba! – złościł się. – Nie jestem dzieckiem! – I żeby dowieść swojej powagi, zasłonił się płachtą „Tygodnika Powszechnego".

Na Zachodniej dosiadł się pan w dresie. Początkowo nie zauważył Pompona i spokojnie rozpakował kanapki. Traf chciał, że Pompon opuścił płachtę gazety w chwili, gdy pan w dresie żuł swoją bułę z pasztetem. Facet udławił się, spurpurowiał i byłby się udusił, gdyby Mama w porę nie huknęła go w plecy i nie napoiła herbatą z termosu.

– O żeż... Co to? – wyszeptał, kiedy ochłonął.

– PIES – odpowiedział Pompon, mierząc faceta ironicznym spojrzeniem. – Niech pan się nie da zwieść pozorom, jestem psem. Rzadka kolumbijska rasa – bezwłosy pies, który mówi.

– Jaja se robisz... – mruknął gość.

– Gdzieżbym śmiał! – żachnął się Pompon. – My, psy kolumbijskie, jesteśmy z natury prawdomówne.

Rodzice nie włączali się do tej wymiany zdań, tylko wymieniali rozbawione spojrzenia. Przez resztę podróży facet łypał na nas podejrzliwie, wreszcie czmychnął do warsu i już nie wrócił.

Zwiedzanie Wieliczki było katastrofą. Z początku nie-
śliśmy Pompona w plecaku. Strasznie się wiercił, więc
kiedy zjechaliśmy do kopalni, Tata wyjął go:
– Niech się dzieje, co chce!

Przez naszą grupę piorunem przebiegła wiadomość, że mamy ze sobą dziwne stworzenie, a chwilę później wokół smoka tłoczyła się grupa ciekawskich. Początkowo milczał, ale kiedy jakiś dzieciak zaczął go szarpać za ogon, Pompon syknął:

– Puszczaj, kolego!

No i się zaczęło! Przewodnik zamilkł, bo nikt go nie słuchał, a na smoka spadł grad pytań. Odpowiadał chętnie, przy czym plótł co mu ślina na język przyniesie.

Że został odnaleziony w himalajskim lodowcu i odmrożony po tysiącach lat.

Że potrafi fruwać, jak zechce (ale chwilowo nie chce).

Że zjada codziennie beczkę kapusty i popija lemoniadą.

Że rozumie mowę gadów i niektórych torbaczy.

Że jest potomkiem królewskiego rodu smoków chińskich.

Że potwór z Loch Ness to jego kuzyn, trochę nieśmiały.

Że w tej kopalni wyczuwa obecność braci smoków, dzikich i niebezpiecznych.

Tu Mama uznała, że przesadził, i wszystkiemu zaprzeczyła, ale i tak nikt jej nie uwierzył. Odtąd uczestnicy wycieczki trwożnie oglądali się za siebie i nerwowo świecili latarkami po wszystkich zakamarkach. A Pompon szedł na końcu pochodu i chichotał jak hiena. Co jakiś czas przystawał i oblizywał ściany, sprawdzając, czy to sól. W grocie Królowej Kingi pozował do trzech milionów zdjęć i gdyby nie przewodnik, pewnie byśmy tam tkwili do dzisiaj.

Nazajutrz kupiliśmy lokalną gazetę ze zdjęciem Pompona na pierwszej stronie, a w obszernym reportażu powtórzono wszystkie „rewelacje" smoka. Tata rozważa zamieszczenie w gazecie anonsu: *Za kłamstwa smoka Pompona rodzina Fisiów nie odpowiada.*

Pompon założył swoją czapkę krakuskę i bardzo zadowolony przechadzał się po Wawelu.

– Patrz, reklama Smoczej Jamy! – szeptali dorośli.

– Sprytnie zrobiony! – mówiły dzieci.

Szybko doszliśmy do wniosku, że to świetny patent, żeby uwolnić się od natrętów. Ilekroć ktoś zbliżał się do Pompona, wołaliśmy:

– Nie dotykać! Bardzo kosztowny mechanizm!

Sami dorośli przyszli nam z pomocą. Kiedy dzieci upierały się, że to ŻYWY SMOK, rodzice natychmiast wyśmiewali takie pomysły.

– Nie pleć, Beatko, nie ma smoków na świecie! To reklama!

I tak udało nam się obejrzeć cały zamek we względnym spokoju. Raz tylko doszło do zamieszania, kiedy

Pompon puścił dym nosem i uruchomił alarm przeciw-pożarowy.

Wiadomość o dziwnej reklamie dotarła jednak do dy-rekcji Wawelu. Kiedy zwiedzanie dobiegło końca, przy wyjściu czekał na nas smutny urzędnik.

– Pan dyrektor byłby wdzięczny, gdybyście państwo odwiedzili go jutro... – powiedział i wręczył Rrodzicom wizytówkę swojego szefa. – Razem z tym... tym... – tu się zacukał, patrząc na Pompona.

– Smokiem – dokończył smok i poprawił krakuskę na głowie.

– No i się doigrałeś! – jęknęła Mama, kiedy urzędnik się oddalił. – Teraz nam się dostanie za ten alarm! Na pewno grzywna albo mandat.

Ale to nie była grzywna. Kiedy nazajutrz rano weszli-śmy do gabinetu dyrektora, czekał już na nas z herbatą i ciastkami. Dla smoka – słoik korniszonów. Po krótkiej pogawędce o pogodzie przeszedł do rzeczy.

– Przeczytałem wszystko, co napisano o smoku Pom-ponie. Widziałem też występ telewizyjny – mówił dyrek-tor. – Spadacie mi z nieba! Mam pewien plan...

Z gabinetu wyszliśmy po dwóch godzinach. Pompon dumny, rodzice zaskoczeni, my – z nosami na kwintę. Pompon dźwigał duży model Wawelu, który dostał od dyrektora w prezencie. Do Smoczej Jamy od razu upchnął Pepsikolę.

– Jak przyjdzie szewczyk Skuba, to wiesz, co robić? – szepnął jej do ucha.

Kacper się martwi, Zuzia patrzy na smoka z wyrzutem.

– Do Krakowa? – pyta. – Skoro masz być etatowym smokiem, to czemu nie tu, w Warszawie?

– Nie ma legendy o smoku warszawskim. Bazyliszek to inny gatunek, a na syrenkę mam za mały biust. Poza tym nie umiem pływać, a w blond peruce mi nie do twarzy – tłumaczy Pompon. – Przepytaj mnie!

Przepytujemy go na zmianę. Do końca roku Pompon musi wykuć na blachę historię Wawelu, bo w styczniu zdaje egzamin dla przewodników wycieczek. Potem jeszcze egzamin z języka i – jak dobrze pójdzie – przed Wielkanocą zaczyna pracę.

– Ma pensję lepszą od mojej! – dziwi się Tata.

– No cóż! Jest wielu agentów ubezpieczeniowych, ale tylko jeden SMOK! – zadziera nosa Pompon.

– ... *Zwrot kosztów podróży, posiłki według ustalonego* menu, *przerwa obiadowa, opieka weterynaryjna, wolne poniedziałki, dostęp do szybkiego Internetu, zakwaterowanie na zamku...* – czyta dalej Tata.

– Ho! ho! Nasz Pompon to prawdziwy VIP – cieszy się Mama.

Pożegnanie było łzawe. Do Krakowa wiózł Pompona pan Rąbek z zoo – on wykłada na tamtejszym uniwersytecie i stale jeździ na tej trasie. Na dworcu Mama wycałowała Pompona tak dokładnie, że nawet na uszach miał ślady szminki. Tusz do rzęs spłynął Mamie po policzkach dwiema strugami. Tata ciągle wycierał nos, a potem długo potrząsał smoczą łapą. Kacper strzelał fleszem jak oszalały i odstraszał gapiów groźnymi minami, a Zuzia wcisnęła Pomponowi do walizki album ze swoimi ulubionymi naklejkami. My z Gniewkiem podarowaliśmy mu koszulkę piłkarską z emblematem Wisły Kraków.

– Codziennie pisz do nas na Gadu! – chlipał Gniewek.

– Ma się rozumieć – Pompon poklepywał mnie po plecach aż dudniło.

– Jak będziecie dojeżdżać, załóż krakuskę – przypominała Mama. – Na dworcu będą czekali na was burmistrz, dyrektor Wawelu i ekipa telewizyjna.

– Proszę odsunąć się od toru! Odjeżdżamy! – konduktor gwizdnął, a my zaczęliśmy machać jak szaleni czym popadnie.

– Całuski, kluski! Buziaki, robaki! Przyjadę na Wielkanoc! – wrzeszczał Pompon, a uszy łopotały mu na wietrze. Niebezpiecznie wychylił się z okna i pan Rąbek musiał wciągnąć go do przedziału za ogon.

I pojechali.

Sensacja! Powrót smoka!

Jak dowiadujemy się od dyrekcji Wawelu, poczynając od dziś, na Wzgórzu Wawelskim rezyduje prawdziwy smok. Ma niespełna metr wzrostu. Odwiedzającym Wawel turystom chętnie opowie baśnie krakowskie, a także oprowadzi po królewskich apartamentach.

Nowa, prawdziwa wersja legendy o Smoku Wawelskim już w księgarniach!

Smok niewinny! Szewc – ekoterrorysta (niejaki S.) przyłapany na próbie otrucia smoka z użyciem śmiercionośnej siarki. Sprawiedliwość triumfuje. Dziewica potwierdza wersję smoka.

Tylko dziś autor (pseudonim literacki „Dragon") podpisuje swoją książkę na Rynku krakowskim.

Lawinowo rośnie liczba odwiedzających Wawel turystów!

Prawdziwy smok ulubieńcem dzieci. Bilety zarezerwowane do grudnia. Awantury przy kasach.

Smok spotyka smoczycę!

Dziś na Wawelu miało miejsce niezwykłe spotkanie – znany trójmiejski hodowca gadów przebywający na wycieczce w Krakowie odwiedził Wawel ze swoją pupilką – samiczką varanus cracoviensis – niezwykle rzadkiego gatunku gadów, zwanych Smokami Małopolskimi. Jakież było jego zdumienie, gdy w przewodniku po Wawelu rozpoznał samca tego samego gatunku. Ulubieniec krakowian Pompon i młoda smoczyca padli sobie w objęcia. Nie koniec niespodzianek – po chwili smoki nawiązały rozmowę! Jak się okazało, pupilka hodowcy od dawna włada językiem polskim, ale tę umiejętność zatajała przed swoim opiekunem. Smoczyca grzecznie i stanowczo odmówiła powrotu do Trójmiasta. Dzięki uprzejmości dyrekcji Wawelu pozostanie gościem Grodu Kraka. Publiczność nagrodziła tę decyzję owacją.

Najgłośniejszy ślub roku! Pepsikola i Pompon powiedzieli „TAK"!

Kraków nie widział jeszcze takiego ślubu! Zapełnił się Rynek krakowski, kiedy Pompon – Smok Wawelski – prowadził do ślubu piękną narzeczoną z Trójmiasta. Panna młoda ściskała w łapce skromny, elegancki bukiet z różyczek kalafiora, pan młody wystąpił w szaliku Wisły Kraków. Narzeczona, do niedawna bezimienna, za namową oblubieńca przybrała imię Pepsikola. Młoda para niosła do ślubu maskotkę: plastikowego dinozaura.

Na czele orszaku ślubnego szli państwo Fisiowie – przybrani rodzice Pompona, oraz pan Mieczysław – do niedawna opiekun panny młodej. Welon nieśli pospołu Malwina i Gniewosz Fisiowie – przybrane rodzeństwo smoka, a także para przyjaciół domu – Zuzia i Kacper. Pierwszy toast wzniósł Kazimierz Rąbek – doktor zoologii z warszawskiego zoo. Uroczystość weselną zakłócił niemiły incydent z udziałem ratlerka Pusi i Sułtana, perskiego kota należącego do jednej z goszczących na weselu osób.

Pepsikola i Pompon szczęśliwymi rodzicami!

Nie minął rok od sławnego ślubu i hucznego wesela pary Smoków Wawelskich i oto doczekaliśmy się małych smoczków. Na zdjęciu – para bliźniąt. Rodzice wybrali już imiona dla dzieci: synek nazywa się Pulpet, córeczka – Prudencja. Z powodu żółtaczki smocze noworodki mają pyszczki w kolorze limonki, za kilka dni przybiorą zdrowy, zielony odcień. Jedzą za dwoje, już w godzinę po narodzinach maluchy żwawo pałaszowały potrawkę z much. Mama smoczków czuje się dobrze.

A więc wiecie już wszystko – jestem ciotką (!!!) dwóch smoczków. Pompon spoważniał trochę. Rzadziej kłamie i lepiej gotuje, ale nadal ogląda *Teletubisie* w telewizji i zdarza mu się beknąć: „hellou!", kiedy żona nie słyszy. Raz w miesiącu spędzają weekend w Warszawie, a wtedy Zuzia i Kacper nie wychodzą z naszego domu, całymi dniami zabawiając Pulpeta i Prudencję. Nasza Mama każe się nazywać Babcią i wozi smoczki w wózku, wzbudzając sensację na placu zabaw. Pusia tańczy wtedy wokół wózka i tak merda swoim cienkim ogonem, że omal go nie zgubi. Kacper i Gniewek postanowili zostać biologami – nadal latają do zoo i zamęczają doktora Rąbka pytaniami. Pan Kazio pęka z dumy, że ma takich uczniów. Poza tym czuwa nad Pomponem i jego rodziną – odwiedza ich za każdym razem, kiedy jest w Krakowie. Smocza Jama to nie żadna wilgotna nora, tylko miłe mieszkanko. Pompon i Pepsikola mają tam wszystko, czego im potrzeba. Codziennie gadamy z Pomponem na Skype'ie, więc nie jest tak źle, chociaż czasami człowiek przytuliłby się do jakiejś zielonej łuski.

Niby wszystko jest po staremu, ale w naszym domu nikt nigdy, przenigdy nie zamyka korkiem odpływu umywalki.

Odargowo 2006

Społeczny Instytut Wydawniczy Znak,
ul. Kościuszki 37, 30-105 Kraków. Wydanie I 2007, dodruk.

Druk: Rzeszowskie Zakłady Graficzne SA, Miłocin 181 k. Rzeszowa.

To Brian

First published in Great Britain 1997
by Methuen Children's Books
an imprint of Reed Children's Books Ltd
Michelin House, 81 Fulham Road, London SW3 6RB
and Auckland, Melbourne, Singapore and Toronto
Copyright © Mary Murphy 1997
The author has asserted her moral rights
A CIP catalogue record for this title
is available from the British Library
ISBN 0 416 19401 X
Produced by Mandarin Offset Ltd
Printed and bound in China

I like it when...........

Mary Murphy

METHUEN

I like it

when

you

hold

my

hand

I like it
when
you
let
me
help

I like it when we

I like it when we

play peekaboo

I like it when

you dance with me

I like it
when
you
read
me
stories

I like it when

you hug me tight

I like it when we splash about

I like it
when
we
kiss
goodnight

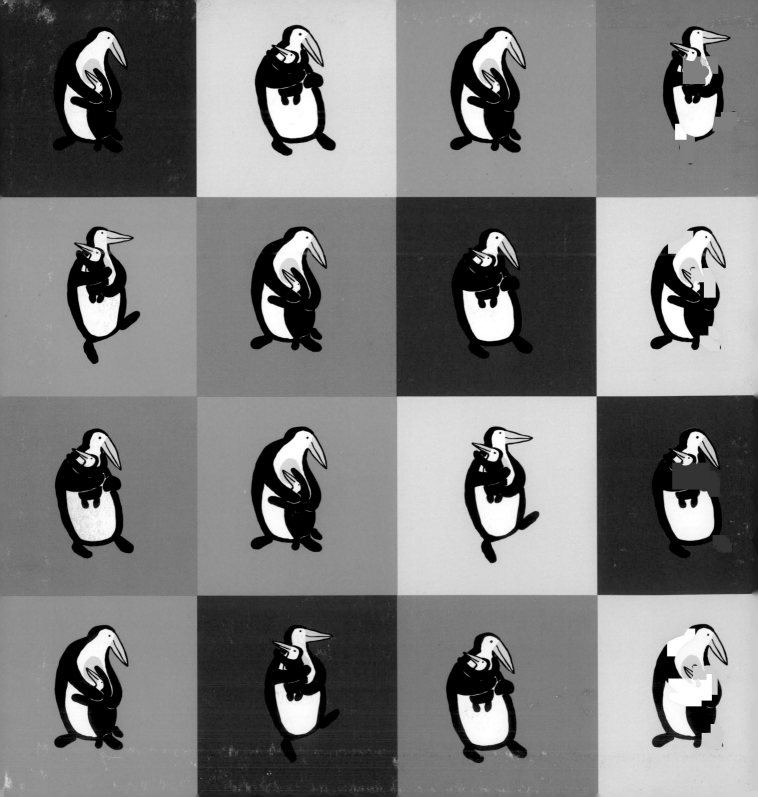